El deseo, enorme cicatriz luminosa

ENSAYOS CRITICOS

El deseo, enorme cicatriz luminosa

Ensayos sobre homosexualidades
latinoamericanas

Daniel Balderston

BEATRIZ VITERBO EDITORA

Balderston, Daniel
    El deseo, enorme cicatriz luminosa . Ensayos sobre homosexualidades
latinoamericanas. – 1° ed. – Rosario : Beatriz Viterbo, 2004.
    192 p. ; 20 x14 cm. – (Ensayos críticos)

    ISBN 950-845-148-3

    1. Crítica Literaria. I. Título
    CDD 801.95

Primera edición de *El deseo, enorme cicatriz luminosa. Ensayos sobre homosexualidades latinoamericanas*: mayo 2004
© Daniel Balderston
© Beatriz Viterbo Editora
España 1150 (S2000DBX) Rosario, Argentina
www.beatrizviterbo.com.ar
info@beatrizviterbo.com.ar

IMPRESO EN ARGENTINA / PRINTED IN ARGENTINA
Queda hecho el depósito que previene la ley 11.723

para Sylvia

Si cada uno dijera en un momento dado,
en sólo una palabra, lo que piensa,
las cinco letras del DESEO formarían una enorme cicatriz luminosa,
una constelación más antigua, más viva aún que las otras.
Y esa constelación sería como un ardiente sexo
en el profundo cuerpo de la noche,
o, mejor, como los Gemelos que por vez primera en la vida
se miraran de frente, a los ojos, y se abrazaran ya para siempre.

Xavier Villaurrutia, "Nocturno de los ángeles"

Prólogo

Impudor y luminosidad: homosexualidad y literatura

La luminosidad de la cicatriz ciega a los lectores de Villaurrutia en el verso que Daniel Balderston ha rescatado como título para este libro de ensayos, *El deseo, enorme cicatriz luminosa*. El adjetivo lleva la metáfora hasta el exceso: la luz se señala a sí misma y provoca a la vez una ceguera en quien la observa, porque la cicatriz es la huella fenomenológica de una herida que estuvo y sigue *siendo*. Villaurrutia no se quita la máscara para revelar la transparencia, si por transparencia ha de entenderse un artificio para jugar a ser invisible. Más bien, a mi modo de ver, el poeta mexicano hace de las oposiciones parte de su estrategia –juega con ellas al igual que en su libro de poesías juega con el lenguaje–. No de otra manera procede Daniel Balderston en este conjunto de ensayos sobre literatura y homosexualidad en América Latina.

La cicatriz elabora su propia economía y su propia dialéctica. No remite a un nombre propio, sino más bien a una constelación, a un circuito que va desde el modernismo que pervierte su propia afición por lo prohibido hasta la vanguardia intransigente que esgrime la sexualidad normativa como arma de combate. Los ensayos recorren los episodios de una historia múltiple que pretende esconder o escamotear la sexualidad como tema en la literatura latinoamericana. Si no existe o si no ha existido un "estado de derecho" para la homosexualidad en América Latina, no por ello hay que negar el cicatrizado aporte que la "zona" homosexual le ha ofrecido al plano literario del continente. José Lezama Lima abre un comentario sobre Porfirio Barba Jacob que cicatriza la densidad crítica en torno a un poeta poco conocido; Virgilio Piñera defiende la inclusión de la sexualidad como tema por encima del recato obsequioso que la crítica le ofrece a la obra de su contemporáneo Emilio Ballagas; Guimarães Rosa incluye en el centro mismo de su obra maestra un enigma crítico en torno a una masculinidad en crisis, y la vida de José Bianco ilumina zonas apenas tocadas en su literatura.

La historia homosexual es, como advierte Balderston, la cicatriz de dos historias: insistencia y escamoteo, brillo y negación, y las formas del escamoteo han sido tan variadas como el juego erótico de los poetas con los cazadores de metáforas. Más aún, el escamoteo no proviene del texto sino de sus lectores, que han insistido en taimarlo para obligar a que su rebelión se acople a las buenas costumbres. Este argumento de Balderston es uno de los más importantes en este libro, y conviene subrayarlo: el recato en torno a la homosexualidad no se origina en el texto sino en una historia que se vuelve "pudorosa" frente a él. De esta manera, y fuera de los consabidos binarismos de composición, el esquema crítico conmina a una historia de evidencias escritas y borradas, proclamadas a media voz, y crea un sistema en el que lo homosexual se mantiene precisamente en el terreno de una "huella", de un "rastro" que apenas llega a la superficie para ser nuevamente consignado a lo suplementario.

Esta economía crítica elabora las fronteras del texto –lo neutraliza, por así decirlo– a la vez que crea un estado de "sospecha" que marca cada uno de sus significantes. Lo espectacular del texto homosexual reside precisamente en crear el espectáculo de la sospecha, como muy bien lo intuyeron Lezama, Guimaráes o Puig.

No tiene sentido aislar al texto en sí de la homosexualidad que la crítica ha leído como apéndice; un método más sugerente es el de desmoronar las supuestas fronteras del texto. Balderston entiende este reto y lo asume en todos sus registros. El lector encontrará aquí algo más que una serie de significantes dispuestos en cierto orden sobre la página escrita.

Hablar acerca de la homosexualidad –es aún en el terreno latinoamericano– implica una abertura hacia otras ausencias que hay que situar en el campo de lo textual. Daniel Balderston sigue esa estela marcando los puntos por donde el rastro de la cicatriz se hace más denso. El circuito se puede marcar a partir de una vida –la de Rafael Arévalo Martínez, por ejemplo– o en términos de una generación o grupo literario, como es el caso de los Contemporáneos en México. Pero el rastro también puede cicatrizarse en una sospecha luminosa (sobre Osvaldo Lamborghini) o en una insistencia por apagar la luminosidad misma –como ocurre en el caso de la crítica literaria a la literatura homosexual latinoamericana en pleno–. En el original planteo de Balderston, se intuye que al hablar de "minorías" hay que insistir no sólo en la obra, sino en su recepción crítica. Los autores leídos en este texto no son parte de *otra* historia de la literatura latinoamericana: no hay nombres aquí desconocidos para el público lector ni rescatados a partir de un minucioso trabajo investigativo. Aunque los lectores sí pueden hallar este rastreo –particularmente en el primer capítulo "El pudor de la historia" en el que Balderston lee la obra de Augusto D'Halmar, Adolfo Caminha, Emilio Ballagas, o habla de escritores más recientes como Armando Rojas Guardia–, por lo general los textos y autores de este libro se encuentran instalados en un discurso canónico: Borges, Villaurrutia, Novo, Lezama Lima, Guimarães Rosa, Puig. Como en toda buena crítica, lo que interesa en este caso es la des-figuración que permite el acceso a un texto nuevo.

El universo que en este texto se presenta es más bien el de la re-lectura, en el que se des-estabiliza la historia de una recepción crítica: "El deseo homosexual que no logra aceptarse como tal se repite incesantemente a lo largo de casi ochenta años de escritos críticos". En otras palabras, no hay que omitir que el texto de Villaurrutia es homosexual. Lo que resulta sorprendente es el hecho de que no se haya leído como tal, o que se haya leído sólo parcialmente como tal –que se haya perseguido o insistido en la ficción de una heterosexualidad innombrada–. La mascarada crítica ha optado más bien por no ver lo visible, o en seleccionar los detalles necesarios para que lo visible no se vea, como sucede en los relatos de Borges donde "se sugiere la posibilidad del deseo homoerótico y a la vez se horra tal sugestión".

De manera que este libro de ensayos trabajó en varios frentes de avanzada. En ocasiones, el blanco esencial es dirigido a la recepción crítica, al pudor de la historia. En otros momentos, su meta es rascatar o aclarar las bases de una polémica artística que en su momento se expresó mediante circunloquios o medias frases sobreentendidas, como la historia de la vanguardia homofóbica de los años 20 y 30 en México. Un tercer renglón viene a configurarse a través de la historia reciente de los estudios sobre la homosexualidad que han llevado a cabo investigadores como Sylvia Molloy, Oscar Montero o David William Foster, entre otros.

El enfoque de Balderston nos permite ver de qué manera una pedagogía de lo reprimido ha sido parte de un circuito institucionalizado. La represión a veces es síntoma de una política migratoria que convierte al visitante en una especie de portavoz, o de pionero, al hablar de temas que se tocan de un lado de la frontera y no de otro. El incidente en Caracas que da pie a esta discusión ya es de por sí revelador. Pero lo interesante es que la dificultad que crea este estado no radica a nivel individual sino institucional. Si bien existe una resistencia a adoptar una política de identidades homosexuales que no siempre es viable en el marco y en el contexto latinoamericanos, por otro lado la disyuntiva es parte de un proceso mucho más amplio, en el cual los espacios críticos se abren con mucha más lentitud que los espacios públicos.

Estos espacios públicos se han abierto en las últimas décadas en América Latina con valor y tenacidad, y a este espíritu viene a sumarse este libro. *El deseo, enorme cicatriz luminosa* arma su propia lucidez por encima del sobre-entendido de la historia. El mito es el que se requeriría para cualquier estudio de este tipo: una estructura abierta y a la vez permeable, que no insista en su propia diferencia como reino aparte, sino en los vínculos que sostiene con la historia concebida como forma de discurso.

La homosexualidad no es en este texto el cuarto cerrado al cual entran pocos, ni un espacio de importación fuera de la nacionalidad, como quisieron verlo aquellos críticos que en el México de los años 20 esgrimían el machismo de la nacionalidad de manera excluyente. Al imponerse la labor de situar el amplio perímetro en el que coexiste la homosexualidad con otros circuitos de diferencia, Balderston opta por "desplumar" las ausencias migratorias que hacen de la cicatriz algo que no se toca. Pero no estaría mal señalar la forma en que la luminosidad seduce, para invitar a los lectores a recorrer la piel cicatrizada con un placer que no desmerezca el dolor causado, pero que tampoco se detenga en él solamente.

El orgullo por la cicatriz también desarma a quien insista en recordarnos la herida.

José Quiroga

El pudor de la historia[1]

Xavier Villaurrutia escribe en la primera estrofa de "Nocturno de los ángeles" (1936):

> Se diría que las calles fluyen dulcemente en la noche.
> Las luces no son tan vivas que logren desvelar el secreto,
> el secreto que los hombres que van y vienen conocen,
> porque todos están en el secreto
> y nada se ganaría con partirlo en mil pedazos
> si, por el contrario, es tan dulce guardarlo
> y compartirlo sólo con la persona elegida.

En el primer capítulo de *Epistemology of the Closet*, Eve Kosofsky Sedgwick reflexiona sobre el "secreto abierto": en nuestras culturas, "el deseo homoerótico se estructura por su estado a la vez privado y público, a la vez marginal y central, [. . .] como *el secreto abierto*" (Sedgwick, 22) y el encubrirlo es "una *performance* iniciada como tal por el acto discursivo de un silencio" (3). Por su parte, en *The Novel and the Police*, D. A. Miller señala la paradoja en la que se funda el secreto:

> No puedo confesar mi secreto del todo, porque entonces se sabría que realmente no había nada significativo que ocultar, y nadie de importancia a quien

ocultárselo. Pero no puedo guardarlo tampoco, porque entonces no se creería que hubiera algo que ocultar y alguien a quien ocultárselo (Miller, 194).

En el mismo ensayo, Miller cita a un personaje de Oscar Wilde, quien recalca el especial magnetismo que tienen los secretos: "[ellos] son los únicos que pueden convertir la vida moderna en algo misterioso y maravilloso. La cosa más común se convierte en algo placentero si se oculta" (195).

Muchos textos en la literatura latinoamericana podrían decir con Villaurrutia que "todos están en el secreto". Inclusive uno de los textos fundadores de las letras hispanoamericanas en torno al tema homosexual, la novela *La pasión y muerte del cura Deusto*, del chileno Augusto D'Halmar (1924), apela al ocultamiento y se refugia en afirmaciones de este tipo: "lo nuestro no tiene solución en esta tierra" (259). Las excepciones a esta regla, *Bom Crioulo*, de Adolfo Caminha (1895), y la comedia *Los invertidos*, de José González Castillo (1914), sí nombran la inversión y la pederastia pero lo hacen, bajo el influjo del naturalismo de Emile Zola, como diagnóstico médico, es decir, desde afuera, desde el saber científico. La naciente literatura homoerótica, desde D'Halmar a los Contemporáneos en México, en cambio, elude estas categorías seudocientíficas y prefiere hablar desde el silencio.

Seguramente no hay mejor ejemplo de la estructura del "secreto abierto" que el famoso relato "El hombre que parecía un caballo" del guatemalteco Rafael Arévalo Martínez (1914), inspirado en su equívoca amistad con el poeta colombiano que habría de ser conocido como Porfirio Barba Jacob, pero que en ese período se hacía llamar Ricardo Arenales, nombre al que envía el del protagonista del relato, el "señor de Aretal". Lo que interesa en este texto no es sólo el hecho de que allí se alude al deseo homoerótico, sino la identificación de Arévalo Martínez y de Barba Jacob con los personajes retratados en el cuento, y la manera en que ella se insinuó tanto en la chismografía literaria como en las percepciones de esa relación que surgen en las posteriores declaraciones de ambos escritores. Lo que nunca se dice de modo explícito en el relato se hace presente en la amenazas de Barba Jacob contra Arévalo. (Más adelante hablaré más a fondo de este cuento y de la chismografía que lo rodea).

Al comentar una visita de Porfirio Barba Jacob a La Habana en su novela *Paradiso* (1966), José Lezama Lima lo llama un "homosexual propagandista de su odio a la mujer" (Lezama: 1988: 252). El hecho de que Barba Jacob sea clasificado como un "homosexual propagandista" se debe en gran parte al retrato que medio siglo antes hizo de él Arévalo Martínez. Además, es importante destacar que en la perspectiva católica y neobarroca que adopta Lezama para tratar a Barba Jacob en *Paradiso*, el valor que se le atribuye a este tipo de "propaganda" (palabra que en su origen, como sabemos, tiene que ver con la Iglesia Católica, Apostólica y Romana) es netamente negativo. Hay personajes homosexuales en *Paradiso*, entre los que resalta Foción, que se enamoran para después sufrir en silencio. Se prefiere el "secreto abierto" a la declaración o la publicidad.

Sin embargo, esta tendencia no es la única en las letras latinoamericanas anteriores a los años setenta y ochenta, décadas estas últimas en las que se producirán cambios substanciales en estos discursos. En un ensayo cardinal, "Ballagas en persona" (1955), Virgilio Piñera afirma:

> Si los franceses escriben sobre Gide tomando como punto de partida el homosexualismo de este escritor; si los ingleses hacen lo mismo con Wilde, yo no veo por qué los cubanos no podemos hablar de Ballagas en tanto que homosexual. ¿Es que los franceses y los ingleses tienen la exclusiva de tal tema? (Piñera: 194)

Los poemas de Ballagas que Piñera cita con más insistencia como productos de la conflictiva homosexualidad del poeta cubano, "Elegía sin nombre" y "Nocturno y elegía", apelan a la retórica del secreto abierto que vimos en el poema de Villaurrutia.

Si bien "Elegía sin nombre" tiene epígrafes de Whitman y Cernuda, un guiño al lector homosexual, la retórica del secreto es la dominante:

> ¡Ya es mucho parecerme a mis pálidas manos
> y a mi frente clavada por un amor inmenso,
> frutecido de nombres, sin identificarse
> con la luz que recortan las cosas agriamente!
> ¡Ya es mucho unir los labios para que no se escape
> y huya y se desvanezca
> mi secreto de carne, mi secreto de lágrimas,
> mi beso entrecortado! (Ballagas, 142)

En estos versos se nota la reiteración de la palabra *secreto*, la falta de señales gramaticales de género del "amor inmenso" —ambigüedad que se mantiene en casi todo el poema— y el hecho de que este amor permanece "sin identificarse".

Los versos más abiertos del poema son:

> Así anduvimos luego uno al lado del otro,
> y pude descubrir que era tu cuerpo alegre
> una cosa que crece como una llamarada que desafía al viento,
> mástil, columna, torre, en ritmo de estatura
> y era la primavera inquieta de tu sangre
> una música presa en tus quemadas carnes. (143)

En ellos la sinécdoque que confunde el "cuerpo alegre" del amado con su falo erecto ("mástil, columna, torre") acompaña los pronombres masculinos "uno al lado del otro" para sugerir que el amado es varón.

"Nocturno y elegía", el poema siguiente de *Júbilo y fuga* comienza:

> Si pregunta por mí, traza en el suelo
> una cruz de silencio y de ceniza
> sobre el impuro nombre que padezco. (145)

Y en la estrofa siguiente continúa:

No le digas que lloro todavía
acariciando el hueco de su ausencia
donde su ciega estatua quedó impresa
siempre al acecho de que el cuerpo vuelva. (145)

Como las referencias al silencio y al secreto, la alusión a la *estatua* –lo graba el cuerpo amado en la memoria, una memoria más física que mental– forma parte de un código que se repite en varios poetas homosexuales de la generación de Ballagas. Está presente, desde ya, en "Nocturno de la estatua" de Villaurrutia (aparece también en otros poemas del mismo Villaurrutia), y en el cuarto poema de *Nuevo amor* de Salvador Novo, que termina:

Pero este cuerpo tuyo es un dios extraño
forjado en mis recuerdos, reflejo de mí mismo,
suave de mi tersura, grande por mis deseos,
máscara
estatua que he erigido a su memoria. (Novo, *Poesía*, 86)

Es notable que el mismo vocabulario –ausencia, cuerpo, estatua, recuerdo, ceguera– anime tanto "Nocturno y elegía" como los poemas de los Contemporáneos mexicanos mencionados. En uno de los libros más extraordinarios que yo conozca, *Who Was That Man? A Present for Mr. Oscar Wilde*, Neil Bartlett ha reconstruido el "lenguaje de las flores" mediante el cual los hombres, adornando sus ternos, declaraban su homosexualidad en la época de Oscar Wilde (y también de Marcel Proust). Podríamos sospechar que, en los años treinta y cuarenta, un fenómeno análogo se da en el mundo de habla hispana con el código de las estatuas, un lenguaje que no sería ajeno, dada su connotación de persistencia y huella fantasmática, al famoso concepto de *imago* en Lezama Lima.

Resulta patético y divertido a la vez que este lenguaje que oscila entre el ocultamiento y la declaración entrecortada entre iniciados llegue a ser la nota predominante en los últimos párrafos del prólogo a la poesía de Ballagas de Osvaldo Navarro, publicado por Letras Cubanas en 1984:

> Nosotros ahora soñamos con el futuro, porque de todos modos "hay que soñar". El futuro es la puerta abierta por donde nos asomamos a una realidad mejor, pero para Ballagas esa puerta no siempre estuvo abierta, aunque él supiera que existía y tocara en ella con flores en las manos y nos dijera por las hendijas palabras hermosas para que nosotros las pusiéramos hoy en nuestras canciones.
>
> Por eso, en alguna reunión de amigos inteligentes y sensibles, en la unión de alguna pareja que disfruta esa magnífica y unánime soledad que se produce entre un hombre y una mujer enamorados, alguien, algún amigo, o uno de los dos en la pareja, recordará de pronto un verso de Ballagas, y todos, y ellos dos, tendrán de pronto la noción precisa de que en el hombre hay algo de inmortal y eterno, algo bello y real que vive con nosotros y que el poeta nos lo advierte, porque el poeta es el único humano que muere antes de morir y uno de los pocos que nos ayuda a vivir más allá de la muerte. (40)

La cursilería del primero de estos párrafos obedece a la retórica del secreto: los mensajes susurrados por la hendija de la puerta entreabierta, las flores en la mano. A la misma retórica responde la necesidad de especificar que la "unión de alguna pareja" refiere a "un hombre y una mujer enamorados", para sortear cualquier ambigüedad en la que pueda caer el lector desprevenido. Pero, como aclara Piñera, aun esta clase de unión es motivo de angustia para Ballagas, quien "llega a la mujer y al hijo muy diferentemente de lo que lo haría el hombre heterosexual" (*Poesía y crítica* 197). A propósito de esto, Piñera apunta que, en los años en los que escribe las dos elegías que he citado anteriormente, es decir en 1937 y 1938:

> Ballagas acaba de salir, como quien dice, de un amor fracasado con una persona de su mismo sexo (prefiero expresarme así y no con el método elusivo de Vitier –"los amantes, sin saberlo, son empujados por el destino hacia el fatal encuentro"–que provocará burlonas sonrisas en los amigos y enemigos del poeta). (198)

Piñera comenta que cuando apareció la "Elegía", "ciertos homosexuales de capilla" pensaron "¡Por fin alguien nos representa!" y "ciertos intelectuales de capilla" a su vez pensaron: "Es poesía *engagé*, ya el uranismo cubano tiene su profeta" (198). Agrega que cuando diez años más tarde Ballagas se casa y tiene un hijo, "esas 'reinas' y esos 'plumíferos', incapaces de medir la larga agonía que representa una década de escrúpulos de conciencia, convierten el 'crédito' concedido al poeta en 'descrédito', el activo en pasivo" (199). Dado el significado de estos últimos adjetivos en el universo de la homosexualidad masculina, esta frase viene a romper de modo definitivo con la retórica de silencios, secretos, flores y estatuas.

Entonces se puede decir que la ruptura fundamental en el tratamiento de la temática homosexual en América Latina se produce con este artículo de Piñera de 1955. Al "revelar" (lo que en inglés se llama ahora *outing*) a Ballagas como homosexual, al decir que para hablar de "Ballagas en persona" hay que hablar de su homosexualidad atormentada y de la falsa heterosexualidad con que se disfrazaba, Piñera —en contra de los origenistas, y sobre todo, de Lezama y Vitier— abre el camino para que quince años más tarde varios escritores —en Cuba, Antón Arrufat y Reinaldo Arenas, y en el resto del continente, Luis Zapata, Manuel Ramos Otero, Néstor Perlongher, Darcy Penteado, Joao Silvério Trevisan— asuman con naturalidad su identidad homosexual y aborden esa temática sin los secretos laberínticos de las generaciones anteriores. Es evidente que el artículo de Piñera —publicado en *Ciclón*, una revista cubana que no circuló mucho fuera de la isla, y que después de la Revolución dejaría de publicarse, aunque varios de sus integrantes pasaran a colaborar en el controvertido suplemento *Lunes de Revolución*— no provocó dicho cambio de tono y de temática, pero es cierto también que, al insistir en hablar abiertamente de la homosexualidad de Ballagas, Piñera —como Genet y Isherwood en la misma época— estaba anticipando en forma aislada la notable transformación de los discursos sociales en torno al tema que habría de producirse quince o veinte años más tarde. Sin embargo, el acto de nombrar al otro, de decir "yo no veo por qué los cubanos no podemos hablar de Ballagas en tanto que homosexual", todavía no es una declaración pública de la homosexualidad del que escribe y no configura todavía un lugar de enunciación público y colectivo.

Ese punto de inflexión habrá que buscarlo en Manuel Puig, quien teoriza sobre la homosexualidad en las notas al pie de *El beso de la mujer araña*. Puig obliga al lector a asociar el discurso analítico de las notas con el diálogo "arriba" entre Molina y Arregui, a la vez que se burla de la retórica del secreto en la última nota, en la que el autor, disfrazándose de mujer, habla a través de una doctora danesa inventada, Anneli Taube. Manuel Puig y, en especial, *El beso de la mujer araña* –y el éxito del que gozaron sus personajes en sus distintos avatares en la narrativa, el teatro, el cine y la comedia musical– han contribuido más que cualquier otro autor o texto latinoamericano a generar, enriquecer y diversificar las discusiones en torno al tema homosexual. Si repitiéramos el experimento que propone Bartlett en su libro sobre Wilde (26), de hacer una encuesta en que se preguntara el nombre de *un* homosexual famoso, entre el público latinoamericano, mucho más que Arenas, Sarduy, Perlongher o Ramos Otero, surgiría el nombre de Puig –a pesar de que, paradójicamente, él negaba la existencia de *identidades* homosexual y heterosexual–.

Entre los escritores que se han definido abiertamente como homosexuales o que han incorporado explícitamente la temática gay en su obra, cabe mencionar a Armando Rojas Guardia. Tanto en sus ensayos, desde *El dios de la intemperie* (1985) hasta *El calidoscopio de Hermes* (1989), como en su poesía, Rojas Guardia ha fomentado en Venezuela una reflexión intensa sobre los vínculos entre la homosexualidad y otros aspectos de la vida, y sobre el modo en que la homosexualidad declarada puede llegar a formar parte de una cosmovisión compleja. Rojas ha planteado esta discusión desde el terreno de la religión (más específicamente, desde una conexión con la iglesia católica), una esfera poco frecuente para este tipo de debates en América Latina. De hecho, su literatura puede ser inscripta en la rica tradición de la literatura confesional.

En *El dios de la intemperie*, el tema homosexual emerge, de manera bastante heterodoxa, de una discusión de la experiencia espiritual. De la controversia en torno a este tipo de experiencia, sobre todo en sus vertientes místicas, "brota, en cierta forma, una estética" (Rojas Guardia, 1985: 39). Rojas Guardia alude a la película "Teorema" de Pasolini, donde "el misterioso huésped [...] trastorna [...] la vida de todos [...], convoca a éstos al desierto, al lugar de la más absoluta desnudez, un lugar simbólico en mitad del cual el hombre encuentra el contacto con una epifanía llameante, con el grito de la última desgarradura" (46). Luego nombra explícitamente "mi específico carácter homosexual" (84), y comenta:

La vida espiritual del homosexual se enfrenta, en el marco de la sociedad regida por la Norma heterosexual y patriarcal, a específicos peligros. Como no existen paradigmas positivos para el eros homoerótico, la existencia homosexual se gesta en la entraña de una trampa mortal: la tácita vinculación que va estableciéndose en el inconsciente entre cuerpo, goce, vida de los sentidos, erotismo, por un lado, y, por otro, satanismo, imagen bufonesca de la atracción hacia personas del mismo sexo, criminalidad latente, malignidad radical. (84-85)

El hecho de que en el libro Rojas relate con profusión su experiencia en clínicas psiquiátricas tiende a privilegiar la importancia del lazo entre homosexualidad y locura por sobre las anheladas imágenes positivas. "Mi homoerotismo me ha conducido a la heterotopía" –resume Rojas Guardia, empleando un término que explica, siguiendo a Michel de Certeau, como "el lugar-otro, fuera-de-la-ley" (106). Consecuentemente, define el deseo como "no [...] simplemente una epifanía de la afirmación de sí" sino como "la búsqueda del Otro, del Otro como tal Otro, como absolutamente Otro" (127).

Cuatro años más tarde, en la "Pequeña serenata amorosa" de *El calidoscopio de Hermes* (1989), Rojas Guardia ahonda su reflexión sobre el tema, refiriéndose ahora a un Otro menos metafísico:

Junto a él percibo con exactitud por qué soy homosexual.
Él presencializa ante mí, y más aún, *dentro* de mí, un acorde de la ternura. Pero este acorde es esencialmente viril: sólo un hombre puede manifestarlo. (143-44)

Más adelante comenta: "Para el homosexual, constituye empresa titánica construir la espiritualidad de una pareja. Y ello porque pertenecemos a una especie amorosa para la que no existe, diseñado, un orden cultural" (152). En mi opinión, el aporte de Rojas Guardia a las discusiones latinoamericanas de la temática homosexual es su insistencia en la necesidad de transformaciones que son desgarradoras (como testimonian sus vivencias en clínicas psiquiátricas) y, a la vez, fascinantes en tanto búsqueda de las dimensiones espirituales del deseo homoerótico. Estas transformaciones son ineludibles para producir un mundo futuro donde el amor homosexual sea aceptado por la sociedad y puedan descubrirse en él aspectos positivos ahora opacados por el miedo y el rechazo. Por estas razones, Rojas Guardia es un pensador utópico, algo infrecuente en el ambiente homosexual de América Latina.

Hemos identificado hasta el momento distintas fases en el tratamiento de la homosexualidad, que van de la retórica del secreto, a la mención explícita de la homosexualidad, al momento en que algunos escritores se asumen y se nombran a sí mismos como homosexuales. Como se ve, se trata de un recorrido largo y lento. Sin embargo, no es justo decir que haya en América Latina un atraso o una demora en el tratamiento del tema, por lo menos en los textos más audaces: el ensayo de Piñera sobre Ballagas es de 1955 y *Paradiso* fue publicado en 1966. Ambos son anteriores a Stonewall y los movimientos de liberación gay. Éstos sí se mencionan en las notas a *El beso de la mujer araña*, y podemos conjeturar que las obras de Luis Zapata y Néstor Perlongher hubieran sido impensables si no hubieran existido estos movimientos. La posibilidad de nombrarse y definirse como homosexual ha dependido de la existencia de los movimientos internacionales y, también, nacionales, por pequeños que estos últimos hayan sido. Incluso la homosexualidad católica y espiritual de Armando Rojas Guardia (consideremos, por ejemplo, su reflexión sobre la pareja en "Pequeña serenata amorosa", en la que el poeta anhela rituales sociales que favorezcan la dimensión espiritual en la relación homosexual), no podría expresarse como tal sin el paso previo de lo individual a lo colectivo.

Si la literatura latinoamericana ha sido reticente a tratar la homosexualidad, más aún lo han sido las historias literarias de América Latina. Los historiadores de la literatura emplean diversas estrategias para eludir estos asuntos. Sus argumentos y, sobre todo, sus silencios ponen de manifiesto cómo los prejuicios forjan los cánones literarios.[2] La "discriminación" es un arma de doble filo, ya que el "buen gusto" a veces es máscara del pudor o de la cobardía, y puede llegar a funcionar como censor, marginando todo lo que el crítico prefiere que no se discuta, ni se mencione, ni se lea. Por desgracia, las pautas de lo que se debe leer y estudiar han sido profundamente conservadoras en las letras latinoamericanas, más que la literatura misma.

En este sentido, es revelador lo que dicen los historiadores literarios de Augusto D'Halmar, especialmente de su novela *La pasión y muerte del cura Deusto* (1924), la historia del amor trágico entre un cura vasco y un muchacho andaluz en Sevilla. En las varias docenas de historias literarias que he examinado, las palabras "homosexual" y "homoerótico" raras veces se usan para describir ese amor, y algunas de las descripciones del contenido de la novela son irrisorias. Si bien la sinopsis que hace el crítico peruano Augusto Tamayo Vargas en su *Literatura en Hispano América* (1977) es mejor que el promedio, se equivoca nada menos que con el título de la novela en cuestión, que confunde con otra obra de D'Halmar:

En *Juana Lucero* [sic], D'Halmar dotó a su prosa de una imaginación brillante, de un refinamiento sensual y buscó el exótico ambiente de una Sevilla mórbida y pagana para amores homosexuales, dentro de un colorismo que venía del decadentismo modernista y avanzaba hacia el imaginismo de vanguardia. Oscar Wilde y D'Annunzio se veían tras sus narraciones poéticas. (306)

Al igual que el uruguayo Carlos Reyles, Fernando Alegría, en su *Historia de la novela hispanoamericana* (3ª ed., 1968), celebra que D'Halmar analizara "aspectos recónditos del alma española sin batir tantas castañuelas" (127). Como sabemos a partir de un trabajo brillante de Sylvia Molloy, son precisamente las castañuelas las que contribuyen a crear la atmósfera febrilmente sensual de la Sevilla de D'Halmar. Alegría dedica varias páginas de su historia al novelista chileno, pero cuando llega al texto que define como su "mejor novela", la que nos interesa, dice de manera escueta: "en ella combina estilo y perspicacia psicológica para analizar el desarrollo de una extraña pasión que une a un cura y a un niño" (135). Orlando Gómez Gil, en su *Historia crítica de la literatura latinoamericana* (1968), resume la acción de la novela en términos casi idénticos, como "la extraña pasión de un jovencito de pueblo y un cura" (472). Concluye Gómez Gil: "La obra vale, tanto por el lenguaje muy estilizado como por el análisis sicológico de los personajes de este drama de pasiones extrañas y morbosas" (472). Maximino Fernández Fraile, en su *Historia de la literatura chilena* (1994), es bastante vago cuando se refiere a "la relación ambigua y fuerte entre un joven y un adulto" (II: 356). El premio al comentario más pudoroso –y más tonto– de la novela lo gana fácilmente Enrique Anderson Imbert, en su *Historia de la literatura hispanoamericana* (2ª ed. revisada, 1970):

Transcurre en Sevilla, en 1913. Una Sevilla de turista. Una Sevilla pagana aun en sus fiestas religiosas. Y nos cuenta tres años de amistad equívoca, escabrosa, entre un cura vasco y un adolescente. El análisis psicológico es menos fino que la pintura de una atmósfera mórbida, "decadente", tal como gustaba a los modernistas. La vida eclesiástica no es austera: rodean al cura toreros, trapecistas de circo, pintores, tonadilleras, poetas. El mismo Deusto es músico; su amado Pedro Miguel, cantor y bailarín. Más esteticismo que psicologismo, más oscarwildismo que proustianismo en la descripción de ese amor que, "llegado al límite", no puede prolongarse. (460)

Anderson nunca explica por qué él considera el asunto de la novela "escabroso" y "mórbido": la discusión de la falta de austeridad en la vida del clero sevillano parece ser una manera de no hablar del contenido sensual y sexual de la novela. Su acotación de que ese amor "no puede prolongarse" no informa al lector del suicidio melodramático del cura Deusto bajo el tren que lleva a su amado a Madrid. Hay que esperar hasta 1997 para una referencia directa al tema de la novela y a la sexualidad de su autor: en la *Encyclopedia of Latin American Literature* preparada por Verity Smith en Londres, escribe Darrell B. Lockhart:

Últimamente [...] ha habido un nuevo interés en su obra por el tratamiento abierto de temas homoeróticos en la mayor parte de sus textos. En épocas anteriores este tema, tanto como la sexualidad del autor, había sido evadido por completo, o aludido con eufemismos, o restado de toda importancia, a pesar de su evidente presencia textual. [...] La obra que más tiene que decir sobre este asunto, *La pasión y muerte del cura Deusto*, contiene todas las características de una historia de amor trágica. La novela fue escrita durante la estadía de su autor en España, y acontece en Sevilla. La trama básica gira en torno al conflicto personal entre la religiosidad y el deseo homosexual tal como lo experimenta un cura vasco que se encuentra fuertemente atraído por un muchacho andaluz. Su deseo eventualmente lo conduce a suicidarse, para no sucumbir al cuerpo y a un amor que no puede ser. (259)

Es triste pensar que la novela de D'Halmar tuvo que esperar más de setenta años para que se describiera así con esta franqueza. Esta larga serie de torpezas, elusiones y pudores, da para reflexionar sobre el hecho de que la literatura haya podido expresarse más libremente que la crítica literaria en América Latina.

A la hora de dar cuenta de "El hombre que parecía un caballo", varias de las historias literarias se fijan en la relación entre el relato y la chismografía posterior, pero casi ninguna comenta explícitamente el contenido homoerótico del texto. Orlando Gómez Gil, por ejemplo, afirma que Arévalo "presenta una caricatura del gran poeta colombiano Miguel Angel Osorio, más conocido por Porfirio Barba Jacob" (495), pero no aclara que lo que Arévalo caricaturiza es la sexualidad del entonces amigo, ni que gran parte del interés del relato reside en las tribulaciones y las luchas que entabla el narrador consigo mismo debido a la atracción que siente por Osorio.

En el caso de los Contemporáneos en México, ninguna historia literaria menciona la homosexualidad de la mayor parte de los miembros del grupo, ni la relevancia del tema homoerótico en su escritura, ni las feroces diatribas en contra de ellos por parte de los estridentistas, Diego Rivera, José Antonio Portuondo y otros.[3] En su *Esquema generacional de las letras hispanoamericanas* (Arrom, 15), José Juan Arrom menciona la representación de "un caso de manía obsesionante causada por fuerzas sexuales reprimidas" en la obra de un miembro menor del grupo, pero nada dice sobre este tema al considerar las obras de Villaurrutia, Novo y Pellicer.

Paradiso (1966), de José Lezama Lima, es la única obra canónica que se discute en numerosas historias literarias en la que es insoslayable alguna mención de la homosexualidad. Como se sabe, varios de los capítulos centrales de la novela comentan diversas "desviaciones" sexuales, sobre todo, el capítulo nueve, es decir, el coloquio de Foción, Frenesís y Cemí sobre la importancia cultural de la homosexualidad. En los diversos trabajos de *América Latina en su literatura*, por ejemplo, hay referencias más o menos directas al hecho de que la novela aboga por la "total libertad sexual" (Rodríguez Monegal, 142), "narra la inocencia y la violencia, la ingenuidad y las desviaciones sexuales, ahonda en el mal, en la depravación y en el horror" (Xirau, 201) y proviene de un "tiempo sexual y un vientre que piensa" (Fernando Alegría, 247). Kessel Schwartz, en su *A New History of Spanish American Literature* (1971), es un poco más explícito cuando dice que la novela "combina lo real y lo absurdo de manera novedosa, mezclando magia y locura, alucionaciones y visiones, historia y poesía, realidad y sueños, recuerdos de recuerdos, encuentros eróticos, fornicaciones múltiples, ritos fálicos, adulterio y debates sobre la homosexualidad, sobre lo cual el novelista ha tenido probablemente más que decir que cualquier otro escritor hispanoamericano" (205). Sin embargo, la crítica termina por resumir de modo curioso: "Al lector medio la novela podría parecer una acalorada defensa de la homosexualidad" (206), sin aclarar quién será ese "lector medio".

El ensayo de Piñera sobre Ballagas parece haber pasado completamente desapercibido para los historiadores de la literatura, aun cuando no han podido dejar de mencionar tanto a Piñera como a Ballagas. La primera discusión franca de la homosexualidad en la crítica literaria latinoamericana no ha entrado de modo alguno en la historia literaria latinoamericana.

El lugar central de la homosexualidad y la homofobia en la obra de José Donoso, especialmente en *El lugar sin límites* (1967), también brilla por su ausencia en las referencias que de este autor chileno hacen las historias literarias. La mayor parte de ellas hace hincapié en *El obsceno pájaro de la noche* (sin mencionar la diversidad de expresiones sexuales en esa novela), mientras que las referencias a *El lugar sin límites* suelen ser fugaces. Kessel Schwartz otra vez es bastante clara en su descripción –aunque, nuevamente, poco afortunado en el lenguaje que usa– cuando define a la Japonesita como "hija de una 'loca' [*fairy*]" y cuando dice que la novela "reafirma la ambivalencia de las relaciones hetero y homosexuales y la violencia sexual y física que cada ser humano guarda en su alma" (159).

Con respecto a la nueva (y mucho más explícita) literatura gay, es preciso señalar que la mayor parte es demasiado reciente como para que fuera analizada en las historias literarias estudiadas.

Muy pocas historias han tratado abiertamente la presencia de la temática gay en estas obras, pero vale la pena notar la *Historia de la literatura hispanoamericana* (1985) de Teodosio Fernández, Selene Millares y Eduardo Becerra, que se refiere francamente a la temática homosexual en la obra de Moro, Puig, Zapata, Perlongher y otros, y la ya mencionada *Encyclopedia of Latin American Literature* de Verity Smith (1997). En cambio, la *Cambridge History of Latin American Literature* dirigida por Enrique Pupo-Walker y Roberto González Echevarría (1996) apenas menciona el asunto,[4] como también es el caso del *Diccionario Enciclopédico de América Latina y del Caribe* de Nelson Osorio (dos tomos publicados hasta la fecha, 1996-97).

Para concluir, entonces: a pesar de que algunos escritores latinoamericanos comenzaron a tratar la homosexualidad y el deseo homoerótico hace más de cien años, y que una serie de obras importantes (y canónicas) de 1914 hasta fines de los sesenta giran en torno a lo que Borges una vez llamó, en un contexto muy diferente, "la inminencia de una revelación, que no se produce" (*Obras* 635), y aunque hayan aparecido también obras significativas desde los años setenta hasta la fecha que son explícitas en su tratamiento del tema (a veces de forma muy transgresora, como en los casos de Perlongher y Lamborghini); sin embargo, la historia de la literatura ha sido sumamente cautelosa y evasiva a la hora de llamar las cosas por su nombre, asumir con franqueza el contenido de algunos textos y analizar la construcción del deseo homosexual (y también del deseo heterosexual) en las letras latinoamericanas. Si ha habido un flirteo con los "secretos abiertos" en un siglo de textos literarios latinoamericanos, en cambio, en la crítica literaria –y aun más, en la historia literaria– ha habido una conspiración del silencio. Si no fuera por la importante obra en los últimos años de críticos como Oscar Montero, José Quiroga, David William Foster, Jorge Salessi, Claudia Schaefer y –con una lucidez y una valentía sobresalientes – Sylvia Molloy, estaríamos todavía asfixiados por el silencio de generaciones de críticos. Es importante hablar clara y francamente de este material, y enseñarlo en las clases de literatura: hacer lo que Paulo Freire llamó, en una formulación célebre, una "pedagogía del oprimido".

[1997]

Notas

[1] Le robo este título a Borges –pertenece a un ensayo hermoso de *Otras inquisiciones*–, sabiendo de antemano que ese robo no le hubiera gustado, como demostraré en otro capítulo de este libro.

[2] De aquí en adelante todas las traducciones corresponden al autor.

[3] Las únicas excepciones son las entradas sobre los Contemporáneos en David William Foster, *Latin American Writers on Gay and Lesbian Themes: A Bio-Critical Sourcebook* (1994), y la inclusión de Novo en la primera antología de literatura gay latinoamericana, *Now the Volcano*, recopilada por Winston Leyland en 1979.

[4] De los pocos comentarios sobre la homosexualidad en los tres tomos de dicha obra, el más extenso es el siguiente: que en las dos décadas a partir de 1970, han irrumpido escritoras mujeres, escritores judíos y escritores homosexuales "que desafían el machismo latinoamericano en sus novelas", una combinación que "ha resultado en un panorama menos homogéneo que antes" (III: 299).

Amistad masculina y homofobia en "El hombre que parecía un caballo"

En el noveno capítulo de *Paradiso* de José Lezama Lima, en medio de una extensa discusión sobre las variedades de la sexualidad, Fronesis menciona a un hereje del siglo XVI, Barba Jacob, y al poeta colombiano del siglo veinte que se apropió de su nombre y lo convirtió en el más famoso de sus varios seudónimos. Fronesis comenta:

> Recuerde usted aquel poeta Barba Jacob, que estuvo en La Habana hace pocos meses, debe haber tomado su nombre de aquel heresiarca demoníaco del XVI, pues no sólo tenía semejanza en el patronímico sino que era un homosexual propagandista de su odio a la mujer. Tiene un soneto, que es su *ars poética*, en el que termina consignando su ideal de vida artística, "pulir mi obra y cultivar mis vicios".[1] Su demonismo siempre me ha parecido anacrónico, creía en el vicio y en las obras pulidas, dos tonterías que sólo existen para los posesos frígidos. (252)

En una de las notas a la edición de *Paradiso* de la Colección Archivos puede leerse una referencia de Lezama a Porfirio Barba Jacob: "un poeta colombiano mexicano, que se llamaba Ricardo Arenales y que después usó ese seudónimo" (494). Esta aclaración es interesante por lo que revela: el nombre original de Barba Jacob no era Ricardo Arenales sino Miguel Ángel Osorio, y éste se hizo llamar Arenales apenas por un período breve, pero es en esta

35

época cuando adquiere relieve en la literatura hispanoamericana no sólo como poeta sino también como personaje literario. Uno de los grandes "secretos abiertos" de la historia literaria hispanoamericana, la identificación de Osorio/Arenales/Barba Jacob con el "señor de Aretal" en el cuento de Rafael Arévalo Martínez, "El hombre que parecía un caballo" (1914), es de importancia clave para la irrupción del sujeto homosexual en esta literatura, y ejerce una función semejante a la del caso de Oscar Wilde en la literatura inglesa. Era tan así que Barba Jacob insistía en recordar a sus interlocutores que Aretal era él. El episodio referido en *Paradiso* es apenas una de las numerosas anécdotas que sugieren que el papel de Barba Jacob como poeta maldito se construyó cuidadosamente y que el cuento de Arévalo Martínez fue un elemento esencial en la confección de esa máscara poética. No menos cierto es que Arévalo Martínez también se inventó como escritor en este texto, que habría de marcarlo para siempre.

En 1966, medio siglo después de la publicación del famoso cuento, un crítico norteamericano, Joseph Lonteen, se acerca al escritor guatemalteco, sobre quien está preparando una tesis de maestría. Cuenta Lonteen:

Esta atracción hacia espíritus afines me parece una cualidad innata de Arévalo Martínez. Es un ser cariñoso que se da completamente a los que le parecen ser espíritus afines. En mis encuentros con él, que duraron dos meses, me hallé casi en la misma situación que él y Barba-Jacob se encontraban. Se formó entre nosotros una amistad fuera de lo usual. El tenía ochenta y dos años y yo cuarenta y dos. La edad no contaba, hasta la falta de un idioma común no nos impedía la amistad. Hablábamos, y hablábamos, y se nos iba el tiempo. Su hija Teresa me decía que su padre estaba muy cansado y que no podía subir al estudio, pero no hubo ni un día en que don Rafael no viniese para charlar conmigo. Me buscaba y yo a él. Todos los días, a eso de las nueve de la mañana, me saludaba con mucho afecto. Me acompañaba, aunque se lo había prohibido su hija, que decía que él me impedía el trabajo para mi tesis. Con un candor que jamás yo había visto, me decía que si él me molestaba que le debería sacar. Un día me explicó que le era difícil alejarse de mi persona, que se me pegaba porque hacía muchos años que no había tenido la oportunidad y el placer de hablar con una persona como yo. Ibamos de paseo. A saber quién guiaba a quién. ¡Cómo nos reíamos! Hablábamos de política, de Francia, de sus obras, de todo lo que nos ocurría. Me decía que entre hombres como nosotros, se podían decir tales cosas que sorprenderían o chocarían a nuestras esposas o nuestras hijas. (33)

Agrega Lonteen:

Después de uno de estos paseos, me entregó la llave de su casa, diciéndome que ahora yo podría entrar en ella sin tocar el timbre. Unos cuantos días después, lo toqué; él me preguntó por qué no había usado la llave. Le dije que sabía el significado que tenía la llave, y que nunca la iba a utilizar. Si la familia no estaba en casa, yo no iba a entrar; y si estaba, la criada me podría permitir la entrada. Con risas, don Rafael le gritó a su hija: –¡Teresa, te dije que Lonteen no iba a usar la llave!–. (33)

Estos dos párrafos del libro de Lonteen sobre Arévalo Martínez y "El hombre que parecía un caballo" sugieren la irrupción, seguida de la interrupción, del deseo homosexual en el relato de Arévalo y también en su recepción crítica. Queda clarísimo tanto para Lonteen como para Arévalo que la atracción que sienten es "fuera de lo usual", para no decir "fuera de lo normal". En su libro, Lonteen se revela como lector de Freud y dice que Arévalo ya lo había leído hacia 1914;[2] cualquier lector del vienés comprende el significado de ese regalo de la llave de la casa, una llave que los dos dicen saber que no usará Lonteen. Otro aspecto freudiano del pequeño relato de Lonteen es la conciencia de que, de algún modo, estaban repitiendo el encuentro entre Arévalo Martínez y Porfirio Barba Jacob (o Miguel Angel Osorio, o Ricardo Arenales), o entre el narrador de "El hombre que parecía un caballo" y su personaje caballuno, el señor de Aretal. La repetición obsesiva define la manera en que este relato ha circulado: el deseo homosexual que no logra aceptarse como tal se repite incesantemente a lo largo de casi ochenta años de escritos críticos.

Repasemos brevemente la trama del relato. Comienza con la presentación del narrador y el señor de Aretal, quien "tenía los miembros duros, largos y enjutos, extrañamente recogidos, tal como unos de los protagonistas en una ilustración inglesa del libro de Gulliver" (Arévalo Martínez, 1958: 285). Agrega el narrador que la idea de que Aretal se parecía a un caballo (aquí mediada por la alusión a los Houyhnhnms en el libro de Swift) "no fue obtenida entonces sino de una manera subconsciente, que acaso nunca surgiese a la vida plena del conocimiento, si mi anormal contacto con el héroe de esta historia no se hubiera prolongado" (285).[3] La palabra *subconsciente* envía, sobre todo, a la obra de Freud, a quien venía leyendo Arévalo el mismo año de la escritura de este relato. A continuación, el narrador describe los numerosos collares que luce Aretal, y se presenta a sí mismo de esta manera:

En un principio de deslumbramiento, yo me tendí todo, yo me extendí todo, como una gran sábana blanca, para hacer mayor mi superficie de contacto con el generoso donante. Las antenas de mi alma se dilataban, lo palpaban y volvían trémulas y conmovidas y regocijadas a darme la buena nueva: "Este es el hombre que esperabas; éste es el hombre por el que te asomabas a todas las almas desconocidas, porque ya tu intuición te había afirmado que un día serías enriquecido por el advenimiento de un ser único. La avidez con que tomaste, percibiste y arrojaste tantas almas que se hicieron desear y defraudaron tu esperanza, hoy será ampliamente satisfecha: inclínate y bebe de esta agua". (286)

Así termina el segundo párrafo del relato. En los doce siguientes, el narrador lo sigue a Aretal "como el cordero que la zagala ató con lazos de rosas" (286); recibe los collares de su nuevo amigo y toca las joyas, para decir –al llegar a los carbunclos– "los toqué y los sentí duros" (287); se asoma al "pozo" del alma del nuevo amigo y descubre en el fondo su propia imagen. Es entonces cuando comienza a "encenderse":

Esta mutua atracción nos llevó al acercamiento y estrechez de relaciones. Frecuenté el divino templo de aquella alma hermosa. Y a su contacto empecé a encenderme. El señor de Aretal era una lámpara encendida y yo era una cosa combustible. Nuestras almas se comunicaban. Yo tenía las manos extendidas y el alma de cada uno de mis diez dedos era una antena por la que recibía el conocimiento del alma del señor de Aretal. (288)

Un poco más adelante, el narrador sigue describiendo la "mutua atracción": "Quién sabe qué niño divino regó en mi espíritu un reguero de pólvora, de nafta, de algo fácilmente inflamable, y el señor de Aretal, que había sabido aproximarse hasta mí, le había dado fuego. Yo tuve el placer de arder; es decir, de llenar mi destino. Comprendí que era una cosa esencialmente inflamable" (289). Cuando ya parece difícil que la temperatura pueda subir aun más, se introduce una corriente de frío:

¿Habéis oído de esos carámbanos de hielo que, arrastrados a aguas tibias por una corriente submarina, se desintegran en su base, hasta que perdido un maravilloso equilibrio, giran sobre sí mismos en una apocalíptica vuelta, rápidos, inesperados, presentando a la faz del sol lo que antes estaba oculto entre las aguas? Así, invertidos, parecen inconscientes de los navíos que, al hundirse su parte superior, hicieron descender al abismo. (290)

La palabra *invertido* era uno de los términos principales que utilizaba la sexología del siglo pasado para hablar de los homosexuales. El mismo año de la composición de este cuento, sirvió de título a una obra teatral en Buenos Aires sobre un padre y un hijo homosexuales (Foster, *Gay and Lesbian* 24-32). Tan pronto aparece la metáfora del carámbano, el frío se materializa en una especie de homúnculo, amigo de Aretal, que se sienta a la mesa entre Aretal y el narrador. Es en ese momento que el narrador comienza a insistir en el aspecto caballuno de Aretal, en lo poco humano que es, en el hecho de que no puede tener relaciones con una mujer porque no es hombre, en la imposibilidad de que tenga relaciones con un hombre porque tampoco es un humano, en fin, en la necesidad de romper con él. Le dice entonces que no pueden seguir como amigos porque Aretal "no tiene pudor con las mujeres, ni solidaridad con los hombres, ni respeto a la ley" (297), porque "miente [...] adula y engaña" (297). Dicho esto, Aretal se aleja, convirtiéndose, poco a poco, en caballo.

Al día siguiente de escribir este relato, Arévalo Martínez se lo pasa a su amigo Miguel Ángel Osorio, el poeta colombiano que en esos años se hacía llamar Ricardo Arenales, aunque después habría de ser mejor conocido con el seudónimo de Porfirio Barba Jacob. Osorio lee el cuento cada vez más estupefacto. Según cuenta Teresa Arévalo, hija del escritor:

> Arenales sufrió una intensa conmoción. Se levantó de su asiento como presa de una crisis nerviosa. Se paseó por la alcoba y mientras tanto le hizo la brutal confesión de todos sus vicios. Vicios que habían sido ocultados cuidadosamente antes, por el gran aprecio que le había tenido. Sólo le había mostrado la mejor parte de sí mismo, que, en cambio, se había dado por completo a esa amistad. (269-70)

Osorio le prohíbe que publique el relato, prohibición que Arévalo desde luego no obedece. Para protegerse de lo que llama "difamación", Osorio promete venganza y amenaza con escribir un libro que se titulará *Exégesis larga de un cuento corto*. Nunca terminará dicha obra, pero cuando le lee fragmentos a Arévalo, éste considera que ella "destila un mortal tósigo" (271) que lo afecta a tal punto que se enferma. En todo caso, con el tiempo se restablece la amistad y, cuando finalmente se edita el volumen de cuentos que incluye "El hombre que parecía un caballo", Osorio publica una nota elogiosa. Lo interesante de la reacción inicial de Osorio al cuento de Arévalo es que este último insiste en que nunca pensó retratar a su amigo, a pesar de la evidente similitud entre el apellido de Aretal y el seudónimo que usaba Osorio en esa época, Arenales.[4]

La tregua acaba en 1928, cuando Arévalo saca una nueva edición de "El hombre que parecía un caballo", ahora ampliada para incluir otros relatos sobre sexualidad, incluso un estudio sobre una lesbiana extremadamente "butch" ("La signatura de la esfinge").[5] Al enterarse de la nueva edición, Osorio vuelve al tema del "libelo" en un artículo publicado el mismo año, que Arévalo contesta en una carta abierta en el *Diario de Centro América* (Lonteen 67-92). El altercado desencadena una serie de insultos públicos que habrá de continuar durante el resto de la vida de Barba Jacob.

Por su parte, Arévalo, aun a los ochenta años, en su relación con el señor Lonteen, seguirá marcado por las huellas del escándalo que produjo "El hombre que parecía un caballo".

El escándalo público impidió que la crítica pudiera eludir la relación entre Aretal y Osorio/Arenales. Es evidente que los críticos habrían preferido callar, pero, al adquirir publicidad, el hecho se volvió parte de la historia literaria del relato. Son notables, en todo caso, las reticencias. Enrique Marini-Palmieri remite al "lector interesado" a una edición que da detalles del escándalo, y agrega: "Considero más interesante poner de relieve la voluntad de ejemplificar, a través del héroe y del anti-héroe del relato, a un arte parnasiano y decadente ya en los últimos sones de su canto de cisne y anunciar la importancia de buscar una nueva concepción de la poesía y de la moral" (285 n.). Las evasivas de Marini-Palmieri son tanto más llamativas por cuanto estos aspectos que aduce están o bien ausentes del relato o bien presentes de modos tan vagos que es como si lo estuvieran. Harry Rosser alega que el relato no trata de un amor homosexual sino de una relación narcisista, ya que —según este crítico— Aretal y el narrador son uno solo (22). Su solución, sin embargo, no logra borrar el trasfondo homosexual, pero sí trata de desplazarlo: "Aunque bien puede ser que haya elementos que aludan a una relación perturbadora entre el narrador y su 'objeto', posiblemente homosexual, estos elementos se trasladan a un plano estético que presenta a Aretal como una forma de sublimación y/o represión." (22). Dennis Klein afirma que el fuego que abrasa a los dos protagonistas en el relato es "el mismo que se enciende en la obra de los dos mayores poetas místicos del Siglo de Oro, Santa Teresa y San Juan de la Cruz" (62). Dice Graciela Palau de Nemes que Aretal es "retrato psicológico, según algunos críticos, de un hombre extraño que se llamó Miguel Ángel Osorio, mejor conocido por el pseudónimo de Porfirio Barba-Jacob. Hoy importa poco quién era el modelo, lo que interesa es que Arévalo Martínez captó el aspecto negativo de un individuo en términos aplicables a la raza humana" (71). A continuación, Palau de Nemes cita a Anderson Imbert, quien concluye que "una caricatura vale en relación a un modelo; y el cuento que comentamos, en cambio, vale en sí, como visión delirante" (Anderson Imbert, 1970, II: 89), una afirmación a su vez bastante delirante ya que postula que los dos valores –la relación con el modelo y el valor de la obra artística "en sí"– son separables, cuando es evidente que no lo son en este caso. Aun así, se equivoca David William Foster cuando asegura que "nunca ha habido una lectura del texto que trate, por oblicua que sea, la homosexualidad" (*Gay and Lesbian* 45), ya que el libro de Lonteen no es otra cosa que eso.[6]

La reciente polémica sobre el *outing* –la estrategia de algunos militantes y periodistas homosexuales de revelar la homosexualidad de personas famosas que no la han asumido públicamente, especialmente de quienes han obrado contra los intereses de las comunidades gay– sugiere otra lectura de "El hombre que parecía un caballo". El relato en sí no es un caso de *outing* ya que Arévalo Martínez no se sitúa dentro de la comunidad homosexual –sino todo lo contrario– y porque la identificación de Aretal con Osorio/Arenales/Barba Jacob habría de hacerse pública años después de la aparición del cuento. Sin embargo, sí podemos hablar de una especie de *outing* –consciente o no, aunque cuesta pensar que pudiera ser inconsciente del todo– cuando Arévalo Martínez le da su relato a Osorio para que éste lo lea.

Richard Mohr ha sugerido que el *outing* es un acto ético cuando quien lo realiza actúa como miembro de la comunidad en cuestión y en el marco de una política generalizada de honradez y sinceridad. Éste no es el caso de Arévalo Martínez. Su "descubrimiento" del amigo colombiano se asemeja a casos más desagradables –el del FBI y J. Edgar Hoover, por ejemplo, o el del senador McCarthy y Roy Cohn– en los cuales alguien revela la vida secreta de otro para no revelar la suya.

Medio siglo después de su muerte, Barba Jacob sigue siendo el objeto de todo tipo de lecturas sicológicas baratas, como por ejemplo ésta de Eduardo Gómez:

> [...] siendo ajeno a la guerra es reclutado como soldado en la de los Mil Días y la falta de un padre que le diera los elementos para hacerse hombre cabal, así como el fracaso en su único romance con una mujer (Teresa Jaramillo Medina), todavía en una edad decisiva para imprimir carácter al resto de su vida, lo llevan al homosexualismo. (172)[7]

La sexualidad peligrosa se aparta y se circunscribe a la figura del poeta colombiano. De Arévalo Martínez, en cambio, no se dice una palabra, como si hubiera quedado al resguardo de todo contagio. No parece haber sido otro el propósito de "El hombre que parecía un caballo". Sin embargo, el éxito de la maniobra es menos rotundo: si Barba Jacob ha de permanecer indeleblemente asociado con el protagonista del cuento, no menos cierto es que Arévalo Martínez será por siempre su perturbado autor.

[1993]

Notas

[1] Lezama se equivoca al citar el verso de Barba Jacob, que reza: "bruñir mi obra y cultivar mis versos" (*Obras completas* 242). Es el último verso del soneto "Sabiduría".

[2] En 1933, en su prólogo a *Rosas negras* de Barba Jacob, Arévalo escribe: "En esta edad del sexo, la poesía del gran colombiano es sexual. (¿Y qué poesía no lo es?, exclamará algún freudiano. ¿No se ha probado que todo arte es sexual?)" (Barba Jacob, *La vida profunda* 92).

[3] Cfr. Torres Rioseco: "¡Interesante estudio de psicología es éste! En efecto, el señor de Aretal, que es en su vida no sólo hombre sino alto poeta colombiano, tiene un extraño aspecto de equino. Yo le he visto trotar por las calles de México y he comprendido la poderosa intuición de Arévalo Martínez" (72).

[4] Es fascinante la versión que el propio Arévalo da de estos hechos en "Cómo compuse *El hombre que parecía un caballo*" (1960), en el cual escribe: "Desde que lo conocí me sentí atraído por él. Yo tenía entonces un alma de adolescente. Y Osorio me deslumbró. Busqué su amistad con alucinamiento; se creyera que me completaba extrañamente; algo había en aquel homosexual que se ajustaba en todas sus partes a otro algo mío, y ya junto con éste formaba un todo radioso" (17).

[5] Otro texto de Arévalo que enfoca el deseo homosexual es *Las noches en el Palacio de la Nunciatura*. Véase el estudio de Ramón Luis Acevedo (76-77).

[6] Otro libro que estudia el trasfondo homosexual en cierto detalle es el de William Lemus, *Psicoanálisis del hombre que parecía un caballo* (41-57).

[7] Dice Carlos García-Prada: "Acerca de Porfirio Barba Jacob se han formado muchas leyendas. La más conocida la describió Rafael Arévalo Martínez en su maravillosa novelita 'El hombre que parecía un caballo' y la más impresionante la reveló el poeta mismo al definirse, con orgullo, como el Ahasverus de la poesía americana" (3).

Vanguardia y homofobia:
México en los años 20 y 30

En este capítulo me propongo examinar los conflictos entre el nacionalismo revolucionario y las expresiones del deseo homoerótico en los círculos intelectuales y artísticos de Ciudad de México a partir de la década del 20. A pesar de que los vínculos entre "nacionalismos" y "sexualidades" han atraído el interés de los estudiosos de la cultura, poca atención han merecido las polémicas que irrumpieron en México en los años que siguieron a la revolución, polémicas que se centraron, aunque de modo tácito, en los artistas y los poetas del grupo que luego se llamó "Contemporáneos". Después de revisar estas polémicas, me detendré en dos poetas del grupo, Xavier Villaurrutia y Salvador Novo, cuyos trabajos en el gobierno estaban en juego en estas guerras culturales y cuya poesía puede leerse como ejemplos valientes de la literatura de resistencia gay.[1]

La primera de estas polémicas estalló en 1924. Un artículo llamado "La influencia de la Revolución en nuestra literatura", firmado con el seudónimo de José Corral Rigán y escrito probablemente por Febronio Ortega, Carlos Noriega Hope y Arqueles Vela, se refiere a escritores de vanguardia como Tablada, Novo, Kin Taniya y Villaurrutia en términos de "producto literario subconsciente del movimiento literario" (Schneider, *Ruptura y continuidad* 161), frase en la cual la palabra *subsconciente* parecería ser despectiva por su asociación con el psicoanálisis (y, por ende, con la sexualidad). A este artículo siguió un mes después otro más feroz todavía. En "El afeminamiento en la literatura mexicana", Julio Jiménez Rueda afirma que las escuelas literarias anteriores, inclusive el simbolismo y el naturalismo, se caracterizaban por sus

> [...] chispazos de genio, pasiones turbulentas, aciertos indudables y frecuentes y ponían en la obra un no sé qué, comprensión de la naturaleza circundante, amor, elegancia, pensamiento original, que la distinguía del modelo que imitaba [...]. Pero hoy [...] hasta el tipo del hombre que piensa ha degenerado. Ya no somos gallardos, altivos, toscos [...] es que ahora suele encontrarse el éxito, más que en los puntos de la pluma, en las complicadas artes del tocador. (162)

El carácter casi ilimitado de este ataque, que parecía abarcar a todos, condujo a respuestas como el artículo de Francisco Monterde "Existe una literatura mexicana viril" (Schneider, 1975: 163-67), en el cual Monterde celebra la obra de Mariano Azuela y de ciertos "poetas de calidad –no afeminados" (165). Otros artículos sobre el tema se escribieron a fines de 1924 y principios de 1925, sobre todo un panorama de la literatura mexicana moderna que apareció en *El Universal Ilustrado* de modo simultáneo con la reedición de *Los de abajo* (1914) en forma de folletín. Carlos Monsiváis ha definido una de las preocupaciones de la Revolución Mexicana de esta manera: "se exige un Hombre Nuevo que traslade al campo civil la idealización de lo militar: valentía (ya no suicida), arrojo, fe en el Pueblo, virilidad sin mancha, desprecio a la debilidad o la blandenguería" ("El mundo soslayado" 17). Monsiváis cita las memorias de Manuel Maples Arce (*Soberana juventud*, 1967), quien dice que en 1924 hubo una reunión "para tratar el problema de los homosexuales en el teatro, el arte y la literatura" (citado en "El mundo soslayado" 20).

Un desvelo similar por evitar el afeminamiento marca el segundo manifiesto de los estridentistas, fechado el primero de enero de 1923 y rubricado por Manuel Maples Arce, Germán List Arzubide y otros doscientos (algunos de los cuales seguramente ni siquiera estaban conscientes del manifiesto que "firmaban"). En el último párrafo del manifiesto se lee: "Ser estridentista es ser hombre. Sólo los eunucos no estarán con nosotros" (Schneider, *El estridentismo* 50). Los "eunucos" en cuestión serían sin duda aquellos poetas mexicanos que no firmaron: ya estaba muerto Ramón López Velarde, pero algunos poetas de la generación anterior seguramente no habrían firmado (Amado Nervo, Enrique González Martínez y José Juan Tablada) como tampoco lo habrían hecho los nuevos poetas Villaurrutia, Novo, Pellicer y Torres Bodet (del futuro "grupo sin grupo" que pasó a la historia literaria con el nombre de una de sus revistas, *Contemporáneos*).

Los estridentistas tenían tanto poder en el estado de Veracruz que su capital, Xalapa, se conocía como "Estridentópolis". El Gobernador Jara de Veracruz apoyaba a Germán List Arzubide, quien a su vez se jactaba de que el gobernador comprendió que en nuestra protesta lírica y nuestra actitud combativa contra lo apolillado y lo falaz, había una actitud de violenta repulsa a todo lo inútil, lo ruin, lo parasitario o mendaz, en conjunto, la imagen de un mundo que había engendrado la miseria, el dolor, la angustia, la desilusión y el desencanto que iban infiltrándose en la savia viril de nuestra juventud y nuestro pueblo (Schneider, *El estridentismo* 24).

La alianza entre el caudillo revolucionario y el vehemente movimiento estridentista se forjó no sólo a partir de una común oposición al *ancien régime*, sino también en base a la fantasía compartida de que un vampiro homosexual estaba al acecho de la "savia viril" de los aliados de la revolución.

Los estridentistas, como los futuristas italianos o el "Vórtice" de Wyndham Lewis, buscaban una estética agresiva masculinista basada en la guerra, la tecnología, la subyugación de la mujer y los ataques hacia los varones cuya virilidad no fuera lo suficientemente manifiesta. Las embestidas contra los homosexuales formaban parte, entonces, de un programa estético y aparecen reiteradamente en los escritos del movimiento. List Arzubide, en su historia de *El movimiento estridentista* (1927), escribe:

> El Estridentismo anclaba el triunfo: *ellas* se derretían sin cautela en sus frases [...] los verseros consuetudinarios habían sido descubiertos en la Alameda, en juntas con probabilidades femeninas y habían sido obligados por la Inspección General de Policía a declarar su sexo y comprobarlo, acusado de un chantage [sic] de virilidades en caída (Schneider, *El estridentismo* 281; el subrayado es nuestro).

Ya para 1927, entonces, los estridentistas, "amurallado[s] de masculinidad", se construían en contra del "grupo sin grupo" de los "Contemporáneos", muchos de los cuales eran homosexuales. Dos en particular serían los blancos de ataques reiterados a lo largo de las décadas siguientes: Salvador Novo y Xavier Villaurrutia. Esta "caza de brujas" se regía por las reglas clásicas del género: el crítico cubano Jorge Mañach acusaría al pintor Agustín Lazo de haber publicado unos cuentos que caracterizaba como "escritos llenos de molicie" (Sheridan, *Los contemporáneos ayer* 243), para luego afirmar que esa molicie era de índole ideológica.[2] El nacionalismo revolucionario, aquí como en otras latitudes, tenía que construirse por la expulsión de toda disidencia sexual.

La ironía de la posición estridentista, claro está, es que dependía de los mismos valores burgueses que afirmaba haber descartado. Como ha notado Guillermo Sheridan: "La militancia vanguardista de Maples Arce no tardó en ser sustituida por la militancia anti-homosexual; enfurecido con los Contemporáneos recurre a la moral de los mismos burgueses que denostaba en sus poemarios juveniles" (132). Maples Arce acusa a los Contemporáneos de ser "semiinclinados por los mismos complejos y tendencias" (133). La poesía de Novo, por ejemplo, "resalta por una intención de trivialidad que no disimula los deseos bajo ningún eufemismo sexual, como en sus otros compañeros de tribu" (133), mientras la de Villaurrutia "se ofrece por las fatalidades del sexo bajo un arreglo de palabras que apenas encubre los artificios de una falsa elaboración [...] que se sirve de la inversión como método poético" (133).

Hacia 1925, quienes acometían contra los Contemporáneos ataban varios cabos sueltos: la sospecha de que no eran suficientemente nacionalistas en un período tenso posrevolucionario;[3] la sospecha de que su escritura no era suficientemente "viril" en un contexto todavía marcado por la memoria de la lucha armada (que estallaría de nuevo poco después en la rebelión de los cristeros); la sospecha de que su estética no era compatible con la ideología del partido de la revolución (Sheridan, *Los contemporáneos ayer* 181). De especial interés con respecto a este último punto es la relación de los Contemporáneos con el movimiento muralista. A comienzos de la década del veinte Novo había publicado un artículo que defendía a Diego Rivera, pero para fines de la década, cuando Villaurrutia había comenzado a escribir los artículos que lo convertirían en el más ilustre crítico de arte en el país, las relaciones con Rivera se habían enfriado. La amistad de Villaurrutia con Agustín Lazo comenzó en 1925, y el arte de Lazo era claramente apolítico (Debroise 127-38). Rivera muy pronto acusaría a Lazo y sus amigos de una falta de virilidad en términos semejantes de los utilizados anteriormente por Maples Arce y List Arzubide. Como sostiene Sheridan, los "nacionalistas" acusaban a los Contemporáneos de haberse mantenido al margen del "proyecto nacional de cultura":

Por si fuera poco, se les comenzará a identificar a partir de la polémica con una militancia vergonzosa: los "afeminados". Curiosa conclusión: mientras el nacionalismo y la voluntad social poseen un sexo definido y orgullosamente erecto, los "otros" titubean en una indefinición ideológica que, por metonimia, lo es también sexual. (*Los contemporáneos ayer* 259)

Un documento revelador es la petición de un grupo de intelectuales (José Rubén Romero, Mauricio Magdaleno, Rafael Muñoz, Francisco L. Urquizo, Ermilo Abreu Gómez, Humberto Tejera, Jesús Silva Herzog, Héctor Pérez Martínez y Julio Jiménez Rueda), fechada el 31 de octubre de 1934, que se dirigió al Comité de Salud Pública pidiendo una purga de los empleados estatales. La petición amenaza:

> Los individuos de moralidad dudosa que están detentando puestos oficiales [...] con sus actos afeminados, además de constituir un ejemplo punible, crean una atmósfera de corrupción que llega hasta el extremo de impedir el arraigo de las virtudes viriles en la juventud [...]. Si se combate la presencia del fanático, del reaccionario en las oficinas públicas, también debe combatirse la presencia del hermafrodita, incapaz de identificarse con los trabajadores de la reforma social. (Citado en Monsiváis, "Salvador Novo" 277)

Estas palabras ejemplifican los modos en que el nacionalismo cultural de la Revolución mexicana fue marcado por el masculinismo y la homofobia.[4]

En el mismo período, Rivera hizo una caricatura de Novo y Villaurrutia en sus murales en la Secretaría de Educación Pública. En una misma línea, el grupo de pintores realistas "30-30" clamó por el despido de empleados revolucionaros por el siguiente motivo:

> Y estamos contra el homosexualismo, imitado a la burguesía francesa actual; y entre ellos, favorecidos ahora, y nosotros, luchadores incansables, existe el abismo de nuestra honradez que no se vende por un puesto. El gobierno no debe sostener en sus secretarías a los de dudosa condición psicológica. (Citado en Monsiváis, "Salvador Novo" 213)

La historia de las polémicas de 1925 se narra en *Querella por la cultura "revolucionaria"* de Víctor Díaz Arciniega, libro en el cual se alude de modo constante al contenido homofóbico de la polémica, pero nunca se enfoca el asunto de la (homo)sexualidad en sí, ni se considera cómo la apelación a la homofobia se relaciona con la tarea de crear una nueva cultura nacional, "revolucionaria".[5]

Sin embargo, Villaurrutia fue uno de los ideólogos del nuevo proyecto nacional que se extendería hasta Octavio Paz, cuya meditación en torno a la muerte en *El laberinto de la soledad* debe mucho a los *Nocturnos*. Novo, por su parte, se convertiría durante décadas en el cronista casi oficial de la cultura mexicana,[6] estatus que alcanzaría plenamente hacia el final de su vida, cuando se transformó en una figura famosa de la televisión nacional. Como recuerda José Joaquín Blanco:

Ciertamente, Novo fingió ante el público toda su vida: escribió cosas sobre la patria, las buenas costumbres, la moral familiar, etc., y cobró caro por sus servicios, no sólo en dinero: sus patrones y la sociedad tuvieron que aceptarlo con su facha "maldita" de homosexual evidente, depilado, maquillado, con anillos y pelucas, diciendo en sus crónicas periodísticas cosas a las que nunca otros que carecieran de su vocación de amargura y suicidio emocional se habrían atrevido. Cuando, en el régimen de Díaz Ordaz, Novo doctoraba en televisión sobre virtud patriótica se entablaba entre él y el público una clara confrontación de mentiras *asumiendo la farsa*: el sexagenario maquillado, acicalado, amanerado y con joyas aparentaba educar (¡el Maestro de la Juventud en travesti!) a una sociedad mojigata que, a su vez, fingía –comedia de histriones– dejarse educar por él. (*Crónica de la poesía mexicana* 168-69)

Ese final tragicómico forma el reverso de la historia de la revolución institucional: el gobierno revolucionario en la década del veinte había intentado proteger la "savia viril" de la juventud de una posible contaminación de "extranjerizantes" afeminados; más de cuatro décadas más tarde, el régimen débil de Díaz Ordaz venía a utilizar al vampiro homosexual –y las balas y helicópteros en la Plaza de las Tres Culturas de Tlatelolco– para disciplinar a la juventud rebelde de 1968.

A pesar de estos ataques –o en parte debido precisamente a ellos– Villaurrutia y Novo publicaron un número importante de textos homoeróticos, tal vez no tan osados como los poemas de Antônio Botto en Portugal o de Luis Cernuda en España, pero seguramente los más audaces de ese momento en América Latina. A diferencia de Botto y Cernuda, ésta no es una poesía homosexual donde se explicita el sexo del amado. Al contrario, ambos poetas mexicanos se cuidan con esmero de especificar el sexo y asocian el amor que celebran con el peligro, el silencio y la censura. Estos atributos tal vez merezcan un juicio negativo del lector cincuenta o sesenta años más tarde; sin embargo, ésta es una poesía que expresa el amor homosexual de modo sensual y apasionado, y sin el odio a sí mismo que caracteriza, por ejemplo, la oda a Whitman de *Poeta en Nueva York* de Federico García Lorca.

Las obras de Villaurrutia y Novo que más celebran el eros homosexual (aparte de los sonetos póstumos de Novo) se publican poco después de los ataques de los estridentistas y compañía: *Nuevo amor* y *Seamen Rhymes* de Novo, en 1933, y "Nocturno de los ángeles" de Villaurrutia, en 1936. La temática gay también está presente en la obra en prosa de ambos escritores, como, por ejemplo, en la crónica de viaje a Estados Unidos de Novo, "Return Ticket" (1928), o en el ensayo de Villaurrutia de 1928 sobre la obra plástica de su amigo Agustín Lazo, que incluye frases como éstas: "Agustín Lazo es un pintor de niños comestibles, maduros como duraznos maduros. Pintor de niños de más de veinte años, de niños de edad madura" (*Obras* 1044). En el mismo artículo (caracterizado por Forster como el texto más interesante y más heterodoxo dentro de la obra crítica de Villaurrutia [*Latin American Writers* 90]), el poeta propone que Lazo es a Rivera lo que Cocteau a Maiakovski (1044), una frase que alude tanto a una sexualidad como a un programa estético.

Un buen ejemplo de esta poesía en la obra de juventud de Novo es "Amor", un poema imitado más tarde por Villaurrutia en su "Amar conduisse noi ad una morte". Novo escribe:

Amar es este tímido silencio
cerca de ti, sin que lo sepas,
y recordar tu voz cuando te marchas
y sentir el calor de tu saludo.

Amar es aguardarte
como si fueras parte del ocaso,
ni antes ni después, para que estemos solos
entre los juegos y los cuentos
sobre la tierra seca.

Amar es percibir, cuando te ausentas,
tu perfume en el aire que respiro,
y contemplar la estrella en que te alejas
cuando cierro la puerta de la noche. (*Poesía* 75)

Villaurrutia, al reescribir este poema, tampoco especifica el sexo de los amantes, pero sí modifica la representación del género sexual:

Amar es absorber tu joven savia
y juntar nuestras bocas en un cauce
hasta que de la brisa de tu aliento
se impregnen para siempre mis entrañas. (*Obras* 77)

Las referencias a "savia", "entrañas" e "impregnación" claramente connotan penetración anal cuando escritas (como es el caso aquí) por un poeta varón. El poema es explícito en sus descripciones, aunque sin especificar que el amado es hombre.

Sin embargo, a pesar de que estas referencias son más que aparentes, la mayor parte de los críticos que han escrito sobre Villaurrutia y Novo callan o niegan la presencia de elementos homoeróticos en estos textos. Por ejemplo, en su discusión de "Nocturno amor", Moretta inventa una "amada" nunca mencionada en el poema (94). Villaurrutia se cuida aquí, como en la mayor parte de su poesía amorosa, de revelar el sexo del amado –una tarea difícil en español– y en vez de eso se refiere a partes del cuerpo (algunas gramaticalmente masculinas, otras femeninas), a emociones y actos, en fin, a lo que el amado hace, siente, expresa, pero no al amado en sí. Aun así, el poema mencionado por Moretta, sin especificar el sexo del amado, sí habla de la importancia de saberlo:

> Ya sé cuál es el sexo de tu boca
> y lo que guarda la avaricia de tu axila
> y maldigo el rumor que inunda el laberinto de tu oreja
> sobre la almohada de espuma. (*Obras* 50)

El más explícito entre los textos homoeróticos de Villaurrutia, "Nocturno de los ángeles", menciona ángeles –varones, sensuales y objetos del deseo de los hombres de la ciudad– que frecuentan las plazas del centro de Los Ángeles, California (famosos después en *City of Night* de John Rechy). El manuscrito del poema, que Villaurrutia regaló a Carlos Pellicer, ha sido publicado en edición facsimilar, con dibujos del poeta que muestran a marineros abrazándose, besándose y tocándose las piernas (1987). El poema se divide en dos secciones: la primera describe la fauna nocturna de Los Ángeles; la segunda, la visita de los ángeles a ese lugar. Dice la segunda estrofa:

> Si cada uno dijera en un momento dado,
> en sólo una palabra, lo que piensa,
> las cinco letras del DESEO formarían una enorme cicatriz luminosa
> una constelación más antigua, más viva aún que las otras.
> Y esa constelación sería como un ardiente sexo
> en el profundo cuerpo de la noche,
> o mejor, como los Gemelos que por vez primera en la vida
> se miraran de frente, a los ojos, y se abrazaran ya
> para siempre. (*Obras* 55)

En las dos mitades del poema aparecen estos tres versos:

> Caminan, se detienen, prosiguen.
> Cambian miradas, atreven sonrisas.
> Forman imprevistas parejas. (55-56, 57)

En la primera parte del poema, los "gemelos" remiten sin ambigüedad a los hombres que se buscan en la plaza. En la segunda parte, cuando los ángeles han bajado a la tierra por invisibles escaleras, también se sugiere la relación fugaz, aunque los ángeles (que utilizan nombres como Dick y John, Marvin y Louis) son curiosamente pasivos, dejan que otros los toquen y los besen, como objetos de la trinidad humana de "la carne, la sangre y el deseo" (56). El poema concluye:

> Sonríen maliciosamente al subir en los ascensores de
> los hoteles
> donde aún se practica el vuelo lento y vertical.
> En sus cuerpos desnudos hay huellas celestiales;
> signos, estrellas y letras azules.
> Se dejan caer en la [sic] camas, se hunden en las
> almohadas
> que los hacen pensar todavía un momento en las nubes.
> Pero cierran los ojos para entregarse mejor a los
> goces de su encarnación misteriosa,
> y, cuando duermen, sueñan no con los ángeles sino con
> los mortales. (57)

Los ángeles vienen "del mar, que es el espejo del cielo" (56), y las marcas celestiales que llevan en la piel son tatuajes: Villaurrutia se divierte imaginando a los ángeles como marineros en tierra. La inversión sutil del saludo de buenas noches a los niños, "sueña con los angelitos", revela que los ángeles piensan mucho más en sus compañeros mortales de lo que sucede, por ejemplo, en el caso de los prostitutos de la novela de Rechy.

Hay también muchos otros poemas de Villaurrutia que tienen un mensaje homoerótico más o menos obvio. Algunos aparecen en su libro tardío *Canto a la primavera* (1948). El primer poema de "Décimas de nuestro amor", por ejemplo, dice:

> A mí mismo me prohíbo
> revelar nuestro secreto,
> decir tu nombre completo

o escribirlo cuando escribo.
Prisionero de ti, vivo
buscándote en la sombría
caverna de mi agonía.
Y cuando a solas te invoco,
en la oscura piedra toco
tu impasible compañía. (*Obras* 79)

El tema de este poema es la necesidad de guardar con mucho esmero un secreto, el secreto, al parecer, de la relación homosexual. El mismo tema se expresa en varios otros poemas del poemario, por ejemplo: "Nuestro amor", "Inventar la verdad" y "Amor condusse noi ad una morte". Sin embargo, en su lectura de estos poemas, Eugene Moretta inventa una biografía completamente imaginaria para justificar su lectura de este amor: el poeta, sostiene Moretta, está hablando de una mujer de quien es prisionero, una mujer a la vez presente y ausente (1976: 182). Pocas páginas más adelante, Moretta afirma que las "Décimas" se inspiran en "la mujer cuya ausencia, *según el poeta*, intensifica el dolor de su soledad en razón directa a la distancia que la separa de él, a pesar de que la presencia de ella también lo 'hiere'" (194, énfasis nuestro).[7] Con referencia a los mismos poemas, Merlin Forster, con mayor precisión, se refiere cuidadosamente a una "beloved person" (persona amada) cuyo sexo no se especifica (*Fire and Ice* 122, 128 y ss.).

Novo publicó sus mejores textos homoeróticos en el poemario *Nuevo amor* (1933). Tal vez el mejor poema de ese libro es el cuarto:

Junto a tu cuerpo totalmente entregado al mío
junto a tus hombros tersos de que nacen las rutas de tu
        abrazo,
de que nacen tu voz y tus miradas, claras y remotas,
sentí de pronto el infinito vacío de tu ausencia.
Si todos estos años que me falta
como una planta trepadora que se coge del viento
he sentido que llega o que regresa en cada contacto
y ávidamente rasgo todos los días un mensaje que nada

contiene sino una fecha
y su nombre se agranda y vibra cada vez más
profundamente
porque su voz no era más que para mi oído,
porque cegó mis ojos cuando apartó los suyos
y mi alma es como un gran templo deshabitado.
Pero este cuerpo tuyo es un dios extraño
forjado en mis recuerdos, reflejo de mí mismo,
suave de mi tersura, grande por mis deseos,
máscara
estatua que he erigido a su memoria. (*Poesía* 86)

En este poema se efectúa un extraño desplazamiento del cuerpo del amante que tiene a su lado en la cama al cuerpo de un amante anterior: de "tu cuerpo" a "su ausencia". Aunque no se declara el sexo de ninguno de los, los mismos adjetivos se utilizan para hablar del cuerpo del yo poético (terso, grande, profundo) y de los cuerpos de los amantes. En el último verso Novo utiliza la palabra "estatua", que parece ser la memoria erotizada del cuerpo del amante.

Otro poema publicado ese mismo año, "Romance de Angelillo y Adela" (1933), es una balada juguetona que parece narrar el encuentro en Buenos Aires con Federico García Lorca. "Angelillo", un torero andaluz, conoce a "Adela", una belleza mexicana, en una "ciudad de plata", que no puede ser sino la "Reina del Plata", Buenos Aires:

Porque la Virgen lo quiso,
Adela y Ángel se encuentran
en una ciudad de plata
para sus almas desiertas.
Porque la Virgen dispuso
que se juntaran sus penas
para que de nuevo el mundo
entre sus bocas naciera,
palabra de malagueño
—canción de mujer morena—,
torso grácil, muslos blancos
—boca de sangre sedienta. (*Poesía* 105-6)

Como ha notado José Joaquín Blanco (170), Novo provee los materiales necesarios para descifrar la referencia en su relato del viaje a Buenos Aires en *Continente vacío* (*Toda la prosa* 301-8). En esta versión del encuentro con Lorca, Novo expresa su aprensión inicial antes de conocer al célebre poeta y dramaturgo: "Ante tamaña popularidad yo vacilo en mi deseo de conocerlo. Lo admiro mucho, pero no querría ser simplemente un admirador suyo más, y quizá no habrá medio de ser su amigo" (301). No obstante estos reparos, pocas páginas más adelante el lector llega a una descripción de Lorca en la cama, en piyamas de rayas blancas y negras, rodeado de sus aficionados (305). Después de una referencia a la oda a Whitman, que Novo encuentra viril, valiente y bella (307), Lorca entretiene a Novo con una rendición del famoso corrido de la Revolución mexicana, "Adelita" (308), el nombre que escoge Novo para disfrazarse luego en su poema.[8]

Los textos más explícitos de Novo son póstumos –unos sonetos obscenos y las memorias de su juventud escandalosa con Villaurrutia, *La estatua de sal*.[9] Los sonetos se publicaron en una edición de apenas quinientos ejemplares, mientras tan sólo dos fragmentos de las "memorias" aparecieron a fines de los setenta en *Política sexual*, revista del primer grupo importante de liberación gay en México, el Frente Homosexual de Acción Revolucionaria y, en inglés, en *Now the Volcano*, la primera antología de literatura gay latinoamericana, publicada en San Francisco por Winston Leyland. Estos textos fueron reeditados bajo la supervisión de Carlos Monsiváis para el Consejo Nacional de Cultura. En ellos, los lectores y los críticos descubrirán importantes fuentes sobre la vida homosexual en la Ciudad de México en el período posterior a la Revolución. Observa Monsiváis en su introducción que el libro de memorias es la obra de "el gay de cuarenta años que busca otorgarle la materialidad posible, la de la escritura, a la experiencia fundamental en su vida, la homosexualidad" (9). Uno de los sonetos póstumos reza así:

Si yo tuviera tiempo, escribiría
mis Memorias en libros minuciosos;
retratos de políticos famosos,
gente encumbrada, sabia y de valía.

¡Un Proust que vive en México! Y haría
por sus hojas pasar los deliciosos
y prohibidos idilios silenciosos
de un chofer, de un ladrón, de un policía.

Pero no puede ser, porque juiciosa-
mente pasa la doble vida mía
en su sitio poniendo cada cosa.

Que los sabios disponen de mi día,
y me aguarda en la noche clamorosa
la renovada sed de un policía. (*XVIII Sonetos* s. p.)

Estos sonetos autocensurados, publicados de modo póstumo en
1986, no son mucho más audaces que "Nocturno de los ángeles",
publicado en 1936. La supresión de toda discusión de la temática
gay en estos dos poetas y en sus contemporáneos (y compañeros
de ruta, como Pellicer y Torres Bodet) parecería deberse a una
"ansiedad de influencia" no prevista por Harold Bloom, ya que
éstos son los padres (homosexuales) no reconocidos de Octavio Paz
y de gran parte de la poesía contemporánea mexicana.[10]

[1994]

Notas

[1] En el congreso del MLA en Chicago, en diciembre de 1995, Tamra Suslow presentó una excelente ponencia, "Outsiders at the Center: The *Contemporáneos* and the Construction of Culture in Post-Revolutionary Mexico", cuya visión del período concuerda ampliamente con el mío. También quisiera reconocer la investigación de Robert Irwin sobre el mismo tema y período.

[2] De modo semejante, en 1923 Julio Torri se quejaba a Alfonso Reyes de que Pedro Henríquez Ureña se había rodeado de un grupo de "muchachos petulantes y ambiguos como Salomón de la Selva" (citado en Díaz Arciniega 36), frase que demuestra que la misma retórica circulaba en contextos que nada tenían que ver con el nacionalismo revolucioinario. Sobre Henriquez Ureña hay unas deliciosas anécdotas en las memorias de Novo (*La estatua de sal*, 1998).

[3] Díaz Arciniega afirma que los ataques se redoblaron cuando llegó al poder el Presidente Calles en 1925, después de que Vasconcelos había dejado la Secretaría de Educación Pública (30-38, 123).

[4] Schneider afirma que los Contemporáneos eran nacionalistas, pero de modo crítico, sin la demagogia y retórica exagerada de sus antagonistas ("Introducción" 5).

[5] Un ejemplo del enfoque limitado de Díaz Arciniega (1989): "Lo más sorprendente es que con los dos conceptos ['afeminado' y 'viril'] y tal relación, algunos polemistas pretenden formar las 'categorías' estéticas y el 'esquema' analítico suficientes para ponderar y encauzar a la literatura mexicana". Nunca considera por qué esos conceptos en específico se escogieron, aunque los menciona de modo reiterado en las páginas 53-62, 66, 86-92 y 142, entre otras.

[6] Recientemente se han publicado varios tomos de las crónicas de Novo de distintos sexenios del gobierno mexicano.

[7] Suslow se refiere en términos semejantes a las lecturas tortuosas y equivocadas de críticos anteriores, "que se negaron a ver (o tal vez a discutir) la posibilidad de una interpretación homoerótica de los poemas" (9).

[8] En *Los Contemporáneos en el laberinto de la crítica*, una colección de ensayos sobre el grupo en que la sexualidad apenas se menciona, el poeta gay español Luis Antonio de Villena comenta un libro tardío de Novo, *Sátira* (1970), afirmando que la última pose de Novo es de desafío: "Dandy al fin, hombre altivo, deseoso de epatar, se autoproclama viejo bujarrón, se ríe, se acaricia, se exhibe y gime a la par que goza" (212). Para una reciente biografía de Novo, véase Alderson (1994).

[9] Un ejemplo del desenfado de Novo en sus últimos años es la primera frase de su libro de crónicas sobre la Ciudad de México, *Las locas, el sexo, los burdeles en México*, publicado dos años antes de su muerte: "Hubo siempre locas en México" (9). Esta declaración va mucho más allá de la primera crónica en el libro, "Las locas y la Inquisición", como si estuviera diciendo: "Hubo siempre, y siempre habrá..."

[10] A pesar de todo el ruido que hicieron promoviendo el sexo procreativo, los estridentistas no tienen progenie entre los poetas mexicanos.

La "dialéctica fecal": pánico homosexual y el origen de la escritura en Borges

[...] la inminencia de una revelación,
que no se produce

Hacia el final de un ensayo de 1931 sobre los defectos del carácter argentino, "Nuestras imposibilidades", en el que discute la viveza criolla y otros temas afines, Borges escribe:

> Añadiré otro ejemplo curioso: el de la sodomía. En todos los países de la tierra, una invisible reprobación recae sobre los dos ejecutores del inimaginable contacto. *Abominación hicieron los dos; su sangre sobre ellos*, dice el Levítico. No así entre el malevaje de Buenos Aires, que reclama una especie de veneración para el agente activo —porque lo embromó al compañero. Entrego esa dialéctica fecal a los apologistas de la *viveza*, del *alacraneo* y de la *cachada*, que tanto infierno encubren. (*Discusión* 17-18)[1]

Pero Borges no abandona, ni podrá abandonar, esta "dialéctica fecal", aunque sí llega a eliminar la referencia al asunto en ediciones posteriores de *Discusión* y por lo tanto en las mal llamadas *Obras completas*. Lo que aquí examinaré es el tratamiento fóbico de un tema que le fascinó.[2] Por ahora no especularé sobre los enigmas de la naturaleza sexual de Borges, si bien conviene resaltar que sus fallidas relaciones con diferentes mujeres han sido el foco del chisme literario durante muchos años en Buenos Aires, y que la publicación de algunas cartas de amor a Estela Canto y la revelación de que Borges buscó ayuda psiquiátrica por impotencia durante muchos años en la década de 1940, son muestra de la vigencia de esa chismografía[3]. En cambio, analizaré primero el tratamiento que Borges da en una serie de ensayos a la homosexualidad de dos eminentes hombres de letras del siglo XIX a cuyas obras y vidas hace referencia continua, Oscar Wilde y Walt Whitman; después, me referiré al tratamiento de la preferencia sexual en algunos de sus cuentos, especialmente en "La intrusa" y "La secta del fénix"[4].

Para comenzar, Wilde. El escritor anglo-irlandés es el tema de un ensayo en *El tamaño de mi esperanza* (1926) sobre "La balada de la cárcel de Reading", y de otro más tardío en *Otras inquisiciones* (1952). En ambos Borges alude a la relación entre vida y obra pero aborda el tema de manera lateral. En el primero destaca la sencillez del lenguaje del poema que contrasta con el ingenio verbal de los primeros trabajos de Wilde; llama "austeridad" a esta nueva sencillez. Se ofrece el poema como posible indicio de la conversión religiosa de Wilde, aunque cuestiona la utilidad de tal especulación: "Erraría sin embargo quien arbitrase que el único interés de la famosa Balada está en el tono autobiográfico y en las inducciones que sobre el Wilde final podemos sacar de ella" (134). Antes de aludir a los juicios y a la sentencia de prisión, la discusión de las actividades literarias de Wilde se codifica en una referencia a otro escritor que ostentaba sus preferencias sexuales. Wilde, de acuerdo con Borges, no era un gran poeta ni dramaturgo, pero sus epigramas y su agudeza produjeron un credo estético que fue altamente influyente: "Fue un agitador de ideas ambientes. Su actividad fue comparable a la que hoy ejerce Cocteau, si bien su gesto fué más suelto y travieso que el del citado francesito" (132). Y a continuación nos da un resumen del famoso juicio, notable por sus reticencias:

Es sabido que Wilde pudo haberse zafado de la condena que el pleito Queensberry le infligió y que no lo hizo por creer que su nombradía bastaba a defenderlo de la ejecución de ese fallo. Una vez condenado, estaba satisfecha la justicia y no había interés alguno en que la sentencia se realizase. Le dejaron pues una noche para que huyese a Francia y Wilde no quiso aprovechar el pasadizo largo de esa noche y se dejó arrestar en la mañana siguiente. Muchas motivaciones pueden explicar su actitud: la egolatría, el fatalismo o acaso una curiosidad de apurar la vida en todas sus formas o hasta una urgencia de leyenda para su fama venidera. (133)

Nótese aquí la falta de referencia alguna a los cargos contra Wilde: al referirse al "Caso Queensberry", mezcla el primer juicio (en el que se declaró inocente al Marqués de Queensbury de haber difamado a Wilde) con el segundo y el tercer juicios (en los que se enjuició a Wilde y eventualmente se lo juzgó culpable de sodomía). El incidente en cuestión ocurrió después de la exoneración de Queensberry y después de que Wilde fuera acusado de sodomía, pero antes del segundo juicio (Ellmann 452 y 456); por lo tanto, no formaba parte del "caso Queensberry" sino del caso de la Corona contra Wilde. El asunto en cuestión, el "inimaginable contacto" entre Wilde y una serie de chicos, se desvanece por completo en la versión ofrecida por Borges.

El siguiente ensayo va por rumbo distinto. Una vez más se celebran los epigramas y la agudeza de Wilde, aunque ahora Borges afirma que el verdadero logro de Wilde era su capacidad de decir la verdad. Después de años de releer a Wilde, dice haber descubierto un hecho que otros críticos ignoran: "el hecho comprobable y elemental de que Wilde, casi siempre, tiene razón" (692). Según Borges, los demás lectores no pudieron descubrir este "hecho" a causa de la ampulosa prosa de Wilde: "su obra es tan armoniosa que puede parecer inevitable y aún baladí". Una dificultad mayor radica en la brecha que separa la vida de Wilde, para Borges un ejemplo de escándalo y tragedia, y la felicidad expresada en su trabajo: "Una observación lateral. El nombre de Oscar Wilde está vinculado a las ciudades de la llanura; su gloria, a la condena y a la cárcel. Sin embargo [...] el sabor fundamental de su obra es la felicidad" (692). Después de oponerlo a Chesterton, cuya filosofía optimista contrasta con sus escritos tantas veces sombríos, Borges concluye que Wilde era "un hombre que guarda, pese a los hábitos del mal y de la desdicha, una invulnerable inocencia" (693). Una vez más, eufemismos –referencias a las ciudades de la llanura, malos hábitos– sustituyen la revelación escandalosa de la homosexualidad de Wilde, ese amor que no sólo no se menciona sino del que Borges no se atreve a hablar. En referencia al caso más público de homosexualidad del siglo XIX[5], Borges se muestra más victoriano que los propios victorianos.

Aunque contrasta a Wilde con Chesterton al final del ensayo en *Otras inquisiciones*, la comparación con Whitman será igualmente reveladora, dado que en el caso de Whitman la relación de la vida con la obra es particularmente problemática para Borges. "Quien toca este libro toca a un hombre": Whitman constantemente declara la identidad del autor y el hablante de los poemas. Sin embargo, a pesar de la declarada pansexualidad del hablante, nunca hubo una declaración comparable por el hombre mismo, como lo atestigua el famoso intercambio epistolar con John Addington Symonds.[6] Las diferencias entre la persona poética y el hombre histórico son el enfoque de los dos ensayos de Borges sobre Whitman, "El otro Whitman" (1929, luego en *Discusión*, 1932) y el más tardío "Nota sobre Walt Whitman" (incluido en la edición de *Discusión* de 1955). Eduardo González, en su libro sobre la muerte y la narrativa en América Latina, *The Monstered Self*, ha señalado la supresión que hace Borges de los elementos homoeróticos en la poesía de Whitman en su traducción de *Leaves of Grass* (86-87). Se puede llegar al mismo resultado a través de un análisis del tratamiento del deseo homoerótico en sus ensayos sobre el poeta norteamericano.

En "El otro Whitman", lo considera como un "poeta de un laconismo trémulo y suficiente, hombre de destino comunicado, no proclamado" (207), un poeta con un solo tema, "la peculiar poesía de la arbitrariedad y la privación" (208). En una nota al ensayo (omitida en la versión de las *Obras completas*), Borges escribe:

Casi todo lo escrito sobre Whitman está falseado por dos interminables errores. Uno es la identificación sumaria de Whitman, hombre caviloso de letras, con

Whitman, héroe semidivino de *Leaves of Grass* como don Quijote lo es del *Quijo-te*; otro la insensata adopción del estilo y vocabulario de sus poemas —vale decir del mismo sorprendente fenómeno que se quiere explicar. (*Discusión* 70n.)

El "otro" Whitman del título del ensayo es el hombre indivi-dual, un punto más desarrollado en el ensayo posterior.

"Nota sobre Walt Whitman" continúa en esta línea, insistien-do en que aunque Whitman nunca visitó California o el Platte Cañón, el hablante poético describe sus experiencias allí; que aun-que Whitman era un pobre hombre de letras, el hablante era un salvaje noble, y que si bien Whitman estaba en Nueva York en 1859, el yo poético estaba en Harpers Ferry, Virginia, presencian-do la ejecución de John Brown (250). La frase crucial para nues-tro argumento aquí es la siguiente: "Este [Whitman] fue casto, reservado y más bien taciturno; aquél [el yo poético] efusivo y or-giástico" (250). Aun antes de las biografías más recientes, había razones más que suficientes para dudar de que Whitman el hom-bre fuese absolutamente casto; Borges encara el asunto de esta manera porque para él el contacto con otro cuerpo masculino era, como el diría, inimaginable.

No por azar, sin embargo, los ensayos sobre Whitman son vín-culos claves en la cadena que va de "La nadería de la personali-dad" a "Borges y yo". En Whitman, el significante flotante que es el "yo" se escapa de todo esfuerzo de definirlo en los mejores poe-mas. En "When I heard at the close of the day", por ejemplo (tra-ducido por Borges como "Cuando supe al declinar el día"), el nom-bre propio —sujeto de fama pública y de infelicidades privadas— se borra, mientras que el "yo" encuentra un placer más anónimo:

When I heard at the close of the day how my name had been receiv'd with plaudits in the capitol, still it was not a happy night for me that follow'd, ...
But the day when I rose at dawn from the bed of perfect health, refresh'd, singing, inhaling the ripe breath of autumn, ...
And when I thought how my dear friend my lover was on his way coming,
    O then I was happy, ...

And that night while all was still I heard the waters roll slowly continually
    up the shores,
I heard the hissing rustle of the liquid and sands as directed to me
    whispering to congratulate me,
For the one I love most lay sleeping by me under the same cover in the
    cool night,
In the stillness in the autumn moonbeam his face was inclined toward me,
And his arm lay lightly around my breast –and that night I was happy.
(276-77)

Traduce Borges:
Cuando supe al declinar el día que mi nombre había sido
    aplaudido en el Capitolio, no fue feliz para mí la noche de aquel día, ...
Pero el día en que al alba me levanté del lecho
    de la salud perfecta, renovado, cantando, aspirando el fresco aliento
    del otoño, ...
Y cuando pensé que mi querido amigo, mi amante,
    estaba ya en camino, entonces fui feliz, ...
Y aquella noche cuando todo estaba en silencio oí las
    lentas aguas incesantes que subían por la playa,
Y el susurro de las aguas y de la arena, como si
    quisieran felicitarme,
Pues aquél, a quien amo, estaba dormido a mi lado bajo
    la misma manta en la noche fresca,
Bajo la quieta luna de otoño su rostro me miraba,
Y su brazo descansaba sobre mi pecho, y aquella noche
    fui feliz. (traducción de Borges, 276-77)

Borges se refiere con cautela a este poema en su relato tardío
"El otro" en *El libro de arena* (1975). Allí, Borges a los setenta
años se sienta en la orilla del Río Charles en Cambridge, acompañado por un Borges de quince años sentado junto al Río Leman en
Ginebra. El joven Borges recita "con fervor, ahora lo recuerdo,
aquella breve pieza en que Walt Whitman rememora una compartida noche ante el mar, en que fue realmente feliz". Y el diálogo continúa:

–Si Whitman la ha cantado –observé– es porque la deseaba y no sucedió. El poema gana si adivinamos que es la manifestación de un anhelo, no la historia de un hecho.

Se quedó mirándome.

–Usted no lo conoce –exclamó. Whitman es incapaz de mentir. (18-19)

La importancia del poema para el viejo Borges parecería no ser la sorprendente referencia directa al encuentro homosexual sino la fuerza de la dicotomía público/privado, la oposición de "mi nombre" y el "yo". Y sin embargo, si se lee este poema como prototipo de "Borges y yo", se ignora lo que para el joven Borges debió haber sido su aspecto más importante: su testimonio de una experiencia de intensa felicidad. En "La felicidad escrita", un ensayo de *El idioma de los argentinos* (1928), Borges afirma que la felicidad es una experiencia que aún precisa ser registrada adecuadamente en la poesía. El hecho de que la expresión de felicidad de Whitman en este poema fuese intensamente personal a la vez que homoerótica debería importar, incluso si, como Borges sugiere en "El otro", era expresión de una felicidad imaginada y no experimentada, algo que de todas formas es imposible que sepamos.

En ambas instancias, por diferentes que parezcan, Borges se retrae hacia una fácil distinción entre obra y vida y afirma que no puede darse un tránsito imaginario entre una y otra. En el caso de Wilde, la "leyenda negra" de su vicio público debe lavarse para salvar la inocencia y la felicidad de las escrituras; la mención del escándalo público es inevitable, por lo que Borges se refiere a él cautelosa y eufemísticamente. En el caso de Whitman, no se hace referencia a los elementos homoeróticos en *Leaves of Grass* y se convierte al hombre en una suerte de monje que preside los ritos de democracia como un casto y casi incorpóreo celebrante. En las referencias a ambos escritores, la aseveración de que su obra fue esencialmente feliz implica por contraste (dada la antitética naturaleza de la relación entre obra y vida) que sus vidas eran esencialmente tristes.

En la obra de Borges de vez en cuando se sugiere –y a la vez se borra– la posibilidad del deseo homoerótico. La instancia más clara de esta autocensura se observa en el epígrafe equívoco a *La intrusa* (1025), que reza de modo lacónico: "II Reyes, I, 26". El primer capítulo del segundo libro de Reyes no llega al verso veintiséis, pero el segundo libro de Samuel, también conocido a veces como el segundo libro de Reyes –según algunas ediciones de la Biblia– contiene la más famosa de todas las declaraciones del amor homosexual: "Angustiado estoy por ti, ¡oh Jonatán, hermano mío! Me eras carísimo. Y tu amor era para mi dulcísimo, más que el amor de las mujeres".

"La intrusa" es el texto en el que Borges expresa más claramente lo que Sedgwick y otros han llamado "pánico homosexual"[7]. En el relato, la noción familiar (y a menudo criticada) en Claude Lévi-Strauss de la mujer como medio de canje se establece en el triángulo amoroso que vincula a cada uno de los hermanos Nilsen con Juliana. Sin embargo, aquí la mujer es el medio que permite el funcionamiento del deseo homosexual, aunque –en el mundo perverso del relato– ese deseo precisa de su muerte: los hermanos Nilsen sólo se hallarán libres para desearse mutuamente cuando su deseo se constituya no en relación con una mujer presente como pretendido "oscuro objeto del deseo" sino en relación con sus recuerdos compartidos de esa misma mujer ya muerta. La mujer debe ser "sacrificada" al deseo incestuoso de los dos hermanos; ella es el tótem fetichizado que posibilita la transgresión al tabú del incesto.

El epígrafe, sobre el amor de David por Jonatán, que sobrepasa "el amor de las mujeres", hace creíble una lectura gay del cuento. Pero hay que notar que el deseo homosexual que es "más que el amor de las mujeres" se constituye para Borges por la violencia. Aquí, la violencia es perpetrada por dos hermanos contra una mujer; en otros cuentos ("La forma de la espada", "El muerto", "El Sur", "La muerte y la brújula") se realiza de hombre contra hombre; en uno ("Emma Zunz") de una mujer contra un hombre[7].

Cuando, al final de "La muralla y los libros", Borges define "el hecho estético" como la "inminencia de una revelación, que no se produce" (635), podría estar describiendo los movimientos del deseo en su ficción.

Al principio de los 80 "La intrusa" fue adaptada a la pantalla por Carlos Hugo Christensen, un director argentino radicado en Brasil al menos desde 1955.[9] La adaptación de Christensen en lengua portuguesa, *A Intrusa*, llena la breve trama con episodios estereotipados de la vida de los gauchos (carreras de caballos, duelos de cuchillo, cantos festivos) pero también con elementos explícitamente homoeróticos. Los hermanos Nilsen son inverosímilmente presentados como rubios hermosos que podrían trabajar en su tiempo libre como modelos para Calvin Klein. Cuando se le informó a Borges de una de las interpolaciones al relato, una escena en la recámara en la que los dos hermanos comienzan besando a Juliana y terminan besándose uno al otro, expresó su ataque en términos más fuertes de los que acostumbraba cuando una buena obra de ficción se convertía en un film terrible.[10] El recuerdo de Isidoro Blaisten sobre el comentario de Borges es: "¡yo dije que ellos estaban enamorados de la misma mujer, pero no al mismo tiempo ni en la misma cama –ni en una posición tan incómoda!" (conversación, julio 1991)[11]. Por su parte, Roberto Alifano recuerda que Borges estaba a favor de la censura con respecto a este film, aunque generalmente la rechazaba (162). Sin duda Borges añadiría a Christensen a la lista de los condenados citados en "Nuestras imposibilidades": "una invisible reprobación recae sobre los dos ejecutores del inimaginable contacto". El contacto inimaginable, indecible, el contacto fascinante.

Hasta ahora, no me he referido al contenido fóbico de la frase de "Nuestras imposibilidades" que asocia el deseo homosexual con la producción fecal. Después de la cita inicial del ensayo de 1931 sobre política, Borges nunca tuvo nada que decir directamente sobre la homosexualidad masculina, ni sobre el área rectal del cuerpo masculino. De hecho, toda referencia a los cuerpos masculinos y los "inmencionables contactos" entre ellos se evita en muchos de sus trabajos; incluso el ensayo de 1931 eventualmente fue excluido de sus "obras completas". Y, sin embargo, aun oculta, la obsesión permanece.

En un relato de 1952, "La secta del fénix", más tarde incluido en la segunda edición (1956) de *Ficciones*, Borges escribe:

> Sin un libro sagrado que los congregue como la Escritura a Israel, sin una memoria común, sin esa otra memoria que es un idioma, desparramados por la faz de la tierra, diversos de color y de rasgos, una sola cosa —el Secreto— los une y los unirá hasta el fin de los días [...]. Puedo dar fe de que el cumplimiento del rito es la única práctica religiosa que observan los sectarios. El rito constituye el Secreto. Este, como ya indiqué, se transmite de generación en generación, pero el uso no quiere que las madres lo enseñen a los hijos, ni tampoco los sacerdotes; la iniciación en el misterio es tarea de los individuos más bajos. Un esclavo, un leproso o un pordiosero hacen de mistagogos. También un niño puede adoctrinar a otro niño. El acto en sí es trivial, momentáneo y no requiere descripción [...]. El Secreto es sagrado pero no deja de ser un poco ridículo; su ejercicio es furtivo y aún clandestino y los adeptos no hablan de él. No hay palabras decentes para nombrarlo, pero se entiende que todas las palabras lo nombran o mejor dicho, que inevitablemente lo aluden, y así, en el diálogo yo he dicho una cosa cualquiera y los adeptos han sonreído o se han puesto incómodos, porque sintieron que yo había tocado el Secreto. (523)

El contenido de este pasaje es innegablemente homoerótico. El Secreto enseñado por un niño a otro, el secreto revelado en espacios vacíos tales como sótanos[12] y terrenos baldíos (cargados de energía erótica para Borges, según revela Estela Canto),[13] el secreto que sirve para unir a un diverso grupo de personas y que es celosamente protegido de otros, el secreto de cuyo nombre no se atreve a hablar: ese secreto, para Borges, es la homosexualidad masculina.[14]

El fénix es el símbolo de este secreto porque el macho crea al macho sin la intervención de la hembra. La onceava edición de la *Encyclopaedia Britannica* (tantas veces citada por Borges) señala: "De acuerdo a Plinio (*Hist. nat.* x.2), sólo hay un fénix a la vez y, al fin de su larga vida, se construye un nido con ramitas de casia e incienso, en el que muere; de su cadáver se genera un gusano que se transforma en el joven fénix" (21: 457). Julio Woscoboinik, observando sobre la apariencia del fénix en este relato y en un par de otros textos de Borges, comenta:

La mujer se presenta en el mito sólo ligada a Venus, que de diosa de la belleza, el amor y la fecundidad, pasa a ser la de la muerte. Así, el Fénix es simultáneamente su propio padre y su propio hijo, "heredero de sí mismo", inmortal, que renace de sus cenizas y atestigua el paso del tiempo. Fantasía de autoengendramiento narcisista y tanático, que niega la paternidad, la mujer, la relación sexual y la procreación. (160)

La "secta del fénix" del relato de Borges debe ser constituída a través de ese último acto de "unión masculina", la penetración anal, pero ese acto está cubierto de secreto.

Pero, por supuesto, si Borges volvía continuamente a este secreto, llamándolo incluso una vez "dialéctica fecal", era porque de algún modo él se hallaba implicado en esa dialéctica. Peter Stallybrass y Allon White han escrito que "la repugnancia lleva siempre la huella del deseo"(191), y analizan los procesos de "introyección desplazada" por los cuales el material fóbico es negado, incorporado y expresado. En Borges, el miedo a una "dialéctica fecal" se manifiesta primero en la supresión de referencias al contacto de hombre con hombre. Así, el deseo homoerótico se codifica en el contacto violento entre hombres, especialmente en el importante leitmotiv de la pelea a cuchillo. La recurrente representación de este tema pone al alter ego de "Borges" (Dahlmann en "El Sur", Fierro en "El fin", Lönnrot en "La muerte y la brújula" y otros) en el lugar de la "víctima" o del "compañero pasivo", como en los reveladores últimos versos del poema "El tango":

... El tango crea un turbio
    Pasado irreal que de algún modo es cierto,
El recuerdo imposible de haber muerto
    Peleando, en una esquina del suburbio. (889)

Ya que la escritura es imposible desde el lugar de la víctima, se da un insistente desdoblamiento, una apropiación del lugar del otro, para que se pueda narrar el relato: esto es muy explícito en "La forma de la espada" cuando John Vincent Moon finge no ser el marcado por la espada sino quien marcó al otro, pero el mismo proceso funciona en muchos otros textos incluyendo "La muerte y la brújula", "Los teólogos" y "Abenjacán el Bojarí, muerto en su laberinto". Respecto de "En la colonia penitenciaria" de Kafka, Judith Butler ha escrito:

> La cuestión no es qué significado conlleva la inscripción en sí sino qué aparato cultural ajusta esta reunión entre instrumento y cuerpo, qué intervenciones dentro de esta repetición ritual son posibles. Lo "real" y lo "sexualmente fáctico" son construcciones fantasmáticas –ilusiones de substancia– a las que los cuerpos se aproximan a la fuerza, pero sin llegar nunca.[15]

Gilles Deleuze y Félix Guattari, respecto del mismo cuento de Kafka, hablan de "este cruel sistema de signos inscritos" (145). La escritura sólo puede ser llevada a cabo por un sujeto que asume simultáneamente la posición del victimario y la de la víctima, en una extraña posición de enajenación del yo. Borges describe este sentido de enajenación en un ensayo de 1925, "La nadería de la personalidad", donde revela el deseo de liberar un alma femenina –o quizá un alma homosexual. En conversación de despedida con un compañero, "encima de cualquier alarde egoísta, voceaba en mi pecho la voluntad de mostrar por entero mi alma al amigo. Hubiera querido desnudarme de ella y dejarla allí palpitante" (*Inquisiciones* 90).[16] Aquí, el principio femenino es el centro excluido que hace posible el aspecto homosocial, pero que no logra borrar lo homosexual, como propone Eve Kosofsky Sedgwick en su ya clásico estudio *Between Men*.

Juan Orbe, al aproximarse a la inscripción del "estrato corporal inferior" desde un ángulo completamente distinto del mío, ha notado la importancia de la letrina en un texto clave de Borges, "La biblioteca de Babel", en el que se hace referencia a "letrinas para el bibliotecario sentado" (466). Orbe señala la asociación de la escritura con la "producción" fecal en Borges, pero no ve la presencia del deseo homoerótico en este elemento obseso. Sin embargo, la frecuente presencia de un "Otro" casi siempre masculino, casi siempre encerrado en una suerte de combate fálico con el protagonista, sugiere que la "dialéctica fecal" es "fecal" sólo porque implica una (fantasmática) penetración anal. La "producción" fecal, que es la escritura (para Borges, en este texto), es el resultado de la impregnación de hombre por hombre, una imposibilidad para la biología pero ciertamente no para la imaginación humana.[17] Y el sitio fóbico de la escritura es el recto.

En "Crazy Jane Talks with the Bishop"[18], Yeats escribe:

> A woman can be proud and stiff
> When on love intent;
> But Love has pitched his mansion in
> The place of excrement;
> For nothing can be sole or whole
> That has not been rent. (255)

> Una mujer puede ser orgullosa e inflexible
> Cuando de amor se trata;
> Pero el Amor ha plantado su mansión en
> El lugar del excremento;
> Pues nada puede estar solo o completo
> Que no haya sido rasgado.

Póngase a "Borges" en el lugar ocupado aquí por la "mujer" y se abre el infierno en la tierra.[19] Su alma (femenina) será revelada y yacerá palpitando ante él, ante nosotros. Para contener esa revelación,[20] para cuidarse el culo, escribe.[21]

[1991]

Notas

[1] En *Gay and Lesbian Themes in Latin American Writing* de David William Foster, no se hace referencia a Borges aunque se menciona su nombre una vez en relación con el libro *No país das sombras* del escritor brasileño Aguinaldo Silva. Borges aparece en un extraño relato de Jorge Asís, "Los homosexuales controlan todo", en el que el narrador "defiende" a Borges contra los ataques de su amigo homofóbico Aldo:

> –Che, ¿y ese Borges?...
> Yo lo miré, como si no entendiese adónde querría
> llegar. El insistió, seguro.
> –Borges, ¿también?
> –¿También qué?
> –¿Se la come?
> Y el maestro Borges, si yo no escribo esta pequeña
> –después de todo cálida– historia, jamás se enterará de
> mis fervorosas defensas, de mis drásticas negaciones.
> Porque si yo no lo defiendo, mi amigo Aldo Gardonio será
> capaz de vituperarlo hasta el exterminio, porque mi amigo
> Aldo no puede admitir que le hagan tantos reportajes, que
> salga en la tapa de la revista *Confirmado* como en la
> revista de *La Opinión* [,] que sea tan famoso aquí como en
> el extranjero, y que se da el lujo de no ser invertido.
> Porque Aldo Gardonio sostiene con firmeza implacable que
> los homosexuales están ubicados en puestos estratégicos.
> (*Gay and Lesbian* 21)

[2] En el prefacio de 1932 a *Discusión*, Borges describe el ensayo en estos términos: "*Nuestras imposibilidades* no es el charro ejercicio de invectiva que dijeron algunos; es un informe reticente y dolido de ciertos caracteres de nuestro ser que no son tan gloriosos". La edición de 1955 y las posteriores, incluyendo las *Obras completas*, omiten el ensayo, y la oración en el prefacio recién citada ahora lleva una nota (de 1955): "El artículo, que ahora parecería muy débil, no figura en esta reedición" (177). Josefina Ludmer ya ha comentado con amplitud el temor a la "debilidad" en Borges en su tratamiento del gaucho y del compadrito (221-36, especialmente 224); y puesto que el ensayo en cuestión trata sobre los defectos del carácter nacional argentino, la posible "debilidad" es particularmente reveladora. La omisión es curiosa no sólo porque de ese modo Borges suprime su texto más explícitamente homófobo. Podría también leerse en relación con sus críticas posteriores del nacionalismo argentino cuando esa idea se identifica con la figura

de Juan Domingo Perón. La "Revolución Libertadora" contra Perón se produjo, como se sabe, en 1955.

[3] El chisme ha planteado la cuestión de si Borges era impotente. La evidencia ofrecida –el supuesto testimonio, generalmente de tercera o cuarta mano, de las mujeres que fueron objeto de sus atenciones– podría interpretarse como indicativo de que la naturaleza sexual de Borges no permitía la libre expresión a su "verdadera" orientación sexual. En su libro (1989), Canto ofrece un análisis fascinante de los enigmas de la sexualidad en Borges; véase también el apéndice de Julio Woscoboinik a la segunda edición (1991) de su estudio psicoanalítico sobre Borges, en el que comenta los puntos de contacto entre las experiencias de Canto con Borges y su hipótesis basada en una lectura de su obra (257-62).

[4] En una entrevista de 1984 con Mirta Schmidt, Borges dice: "Tengo varios amigos homosexuales. Conocí a un señor en Sevilla, de cuyo nombre no quiero acordarme, que me dijo: 'Sé que mis amigos van a decirle que soy homosexual. Y quiero que ahora que hemos iniciado nuestra amistad lo sepa usted de mis propios labios: yo soy homosexual. ¿Usted acepta ser mi amigo?'. Yo le dije que sí, y ahora lo veo seguido y no me importa lo que él haga porque es una excelente persona. Además de él tengo otros amigos homosexuales, pero hemos hecho un pacto tácito, que también vale, el que consiste en no hablar del tema, porque igualmente quedan otros, como por ejemplo el universo" (citado en Stortini 112).

[5] Bartlett sobre Wilde: "¿Si un extraño le preguntara que nombrase a un homosexual, respondería dando su propio nombre? ¿O si usted le preguntara a alguien más, su hermana por ejemplo, o su padre, que nombrase a un homosexual, cuál sería su respuesta? Hay una, sólo una, cuyo nombre es conocido por todos. De hecho él es famoso justamente por ser homosexual. Y puesto que tan sólo su nombre puede conjurar mi pasado, fue con su nombre que comencé, la primera entrada que busqué en el catálogo. Sus palabras comenzaron a velar mi escritura" (26). Sobre Wilde, véase también Koestenbaum (1990) y Sedgwick (1990, III). Para una visión perspicaz de la época de Wilde (sin centrarse en él), véase Dellamora (1990). Tanto Dellamora como Bartlett reconstruyen elementos de una vida homosexual justo antes del "descubrimiento" de homosexualidad en los juicios sobre Wilde.

[6] Sobre la correspondencia con Symonds ver Sedgwick (*Between Men* 203-4) y Moon 11-13.

[7] Para este tema véase Sedgwick *Between Men* 83-96 y *Epistemology of the Closet* 19-21, 138-39, 182-212.

[8] Aunque no propone directamente que "Emma Zunz" se lea como relato lésbico, el fascinante análisis que hace Bernard McGuirk (1977) del cuento como "escritura femenina" podría extenderse fácilmente en esta dirección. La repugnancia que Emma siente durante el coito con el marino sueco y la descripción lacónica de sus relaciones con sus amigas, las hermanas Kornfuss, y de sus visitas al gimnasio justificarían ciertamente esta aproximación.

[9] Entre sus producciones en Brasil están *Mãos sangrantes* (1955) y *Anjos e demónios* (1970).

[10] Véase, por ejemplo, en *Discusión*, su reseña de la versión de Victor Fleming de *The Strange Case of Doctor Jekyll and Mister Hyde*.

[11] El recuerdo de Roberto Alifano es menos pintoresco pero en esencia similar. Alifano escribe: "Borges se sintió absolutamente defraudado por la película; su indignación se debía a que el director presentaba a los hermanos Nilsen como homosexuales. 'En ningún momento ni remotamente pasó por mi cabeza la idea de la relación homosexual entre esos dos hombres', me comentó Borges (162).

[12] La revelación del Aleph ocurre en el sótano de Carlos Argentino y, como he señalado en otro trabajo (*El precursor velado* 40) la escena del sótano está cargada de energía erótica, quizá con sugerencias de mutua masturbación.

[13] Canto escribe: "Lo cierto es que me dijo [Borges] de golpe, en tono cortante. 'Una playa es como un terreno baldío donde la gente se pone en paños menores'" (50). Más adelante, agrega: "En esas aperturas entre los edificios hay detritos, latas y botellas vacías, el cadáver de un gato o una rata, charcas de agua sucia ('la noche lateral de los pantanos me acecha y me demora ...'). Se tiene la tentación de imaginar que una experiencia extraña y aterradora acechaba al niño Georgie en uno de esos terrenos baldíos. Una experiencia que tuvo que ver con la muerte, presente en todos los poemas de la primera época, muerte en la forma de gauchos vociferantes blandiendo lanzas, los gauchos que habrían de vencer y destruir al 'hombre de veredictos, de libros y de cánones', es decir al hombre de las convenciones. Todo esto, naturalmente, es una pura 'conjetura'." (52). Lo que Canto parece sugerir es que el joven Borges pudo ser víctima de una violación.

[14] Estudios anteriores se han inclinado a ver el "Secreto" en "La secta del fénix" como el coito sexual en general, y quizá coito genital hombre-mujer especialmente: véase, en particular, Christ 155-59. En una nota sobre este pasaje, Christ aclara que en una conversación con Borges en Nueva York en 1968, Borges afirma que el "Secreto" es la heterosexualidad procreativa, citando a Whitman sobre lo que "el divino esposo sabe, de la tarea de la paternidad" (190). Dicha entrevista renueva algunos de los malentendidos entre Whitman y Symonds y no puede considerarse como la última palabra sobre el relato.

[15] Apunta también Butler en la misma obra: "Si la creación de valores, ese modo histórico de significación, precisa la destrucción del cuerpo, tanto como el instrumento de tortura en *La colonia penitenciaria* destruye el cuerpo en que se escribe, por lo tanto debe haber un cuerpo previo a esa inscripción, firme y autoidéntico, sujeto a esa destrucción inmoladora. En cierto sentido, para Foucault, como para Nietzsche, los valores culturales emergen como el resultado de una inscripción en el cuerpo, comprendido como un medio, o sea, una página en blanco; sin embargo, para que esta inscripción signifique el medio mismo debe ser eliminado —es decir, transvaluado en su totalidad dentro de una esfera sublimada de valores. Dentro de las metáforas de esta noción de valores culturales está

la figura de la historia como instrumento infatigable y el cuerpo como el medio que debe ser destruido y transfigurado para que 'la cultura' emerja" (130).

[16] Doy por sentado que el "amigo" en cuestión es el poeta mallorquín Jacobo Sureda, con quien Borges mantuvo una apasionada relación epistolar en 1921 y 1922, publicada por Carlos Meneses como *Cartas de juventud*. En su introducción, Meneses se quiebra la cabeza por ratificar que las cartas son de interés porque en ellas Borges revela su pasión por Concepción Guerrero, una joven que él conoció en la Argentina en la época entre los dos viajes a Europa (47-52). Igualmente interesante en la carta, no obstante, es la fuerza de los sentimientos de Borges hacia Sureda, que parecería ser el "amigo" mencionado en "La nadería de la personalidad". Por lo tanto, el romance epistolar con Concepción Guerrero y Jacobo Sureda anticiparía el triángulo amoroso en "La intrusa".

[17] Para una breve consideración de las relaciones entre analidad y *écriture,* véase *Epistemology of the Closet* de Sedgwick, 208n.

[18] Yeats es tal vez el poeta favorito de Borges entre una veintena de poetas de lengua inglesa del siglo XX, pero este poema es uno de los que no cita, por razones que ya resultarán obvias.

[19] "Entrego esa dialéctica fecal a los apologistas de la *viveza*, del *alacraneo* y de la *cachada*, que tanto infierno encubren" (*Discusión* 18).

[20] Recuérdese: "esta inminencia de una revelación, que no se produce, es, quizá, el hecho estético" (635).

[21] Escribe Augusto Roa Bastos: "Sentí por primera vez que la escritura era para mí los bordes de una cicatriz que guardaba intacta su herida secreta e indecible" (74).

"Siempre habrá de interponerse algo entre nosotros": la función del deseo en la obra de José Bianco

Hacia el final de *Las ratas* (1943), la segunda novela corta de José Bianco, el narrador, Delfín Heredia, espía a su medio hermano Julio, quien pasea desnudo por el laboratorio que tiene en el fondo de la casa: se oculta "tras los armarios de las ratas" (87) y, mirando por una hendija, observa:

Pasaré dos meses, tres meses sin verlo. Tengo derecho a contemplarlo esta tarde. Entregado a mi función de espectador, hasta llegué a olvidarme de ser espectador para no tener conciencia sino de ese hombre alto y rubio, parado frente a mí, que observaba con fastidio una puerta y en el cual estaba yo encarnado, quizá por última vez. Lo vi desaparecer en el dormitorio, oí el ruido del agua que caía en la bañadera y el ruido de sus pasos que hacían crujir los tablones del piso, esos pasos blandos, torpes, confiados, de las personas que andan desnudas entre cuatro paredes, sin sospechar que las miran. En efecto, cuando Julio entró al laboratorio estaba desnudo y llevaba en la mano la camisa que se acababa de quitar. Al sentarse, se refregó la camisa por las axilas y la tiró lejos. Así, ante su mesa, abstraído, sudado, escultórico, ligeramente obeso, repugnante, se puso a tallar con el cortaplumas el minúsculo cráneo de una rata. La carne húmeda, en contacto con el cuero de la silla y la dura superficie de la mesa, así como el vello lustroso que a uno y otro lado le acentuaba el modelado del pecho, contribuían a darme esta sensación de repugnancia (88).

En este pasaje se manifiesta una fuerte identificación del narrador con Julio; de hecho, un poco más adelante aclara que la "repugnancia que señalo más arriba, y que pocas veces me inspiran los otros, a menudo la siento por mi propia persona" (88). El rechazo que siente para con el otro, por lo tanto, es una faceta del odio que siente por sí mismo. No es difícil identificar este sentimiento como la variante homosexual de lo que Sander Gilman ha llamado "Jewish self-hatred" (el odio judío hacia lo judío): una de las peores manifestaciones de la homofobia es la que el homosexual a veces internaliza.

A pesar de que el escondite desde donde mira Delfín no es exactamente un armario (*closet*, en inglés),[1] no sería aventurado decir que el rechazo que siente por Julio y por sí mismo tiene que ver con su incomodidad frente a sus deseos homosexuales nunca expresados. En inglés, desde hace casi treinta años el grito de batalla de los movimientos gays y lésbicos ha consistido en variantes del famoso "Out of the Closets and Into the Streets" ("salir de los roperos a la calle"), formulación que, en español, ha dado el incómodo anglicismo "enclosetado" (por "in the closet"), sin que haya un equivalente adecuado para "out of the closet" ("asumido", tal vez, pero eso puede significar una aceptación de sí mismo sin el correspondiente gesto de asumir la homosexualidad públicamente, con los familiares, los compañeros de trabajo, los vecinos, etc.). El odio que paraliza a Delfín y que va a llevarlo a envenenar a su medio hermano está contaminado por el deseo. Ese deseo late en el pasaje que he citado *in extenso*: la descripción del cuerpo "escultórico" de Julio y la identificación enloquecida que siente el narrador con él sugieren un deseo que el narrador no sabe o no se atreve a llamar por su nombre.

Yo era amigo de Pepe Bianco y recuerdo conversaciones con él en los años anteriores a su muerte en 1986, cuando hablaba de escribir una novela homosexual más audaz que las de Mishima. Nunca la escribió y nosotros, sus lectores, nos quedamos con las ganas. Sin embargo, en la totalidad de su obra narrativa publicada –en el único cuento, "El límite", que rescató de su primer libro (*La pequeña Gyaros*, 1932); en sus conocidas novelas cortas, *Sombras suele vestir* (1941) y *Las ratas* (1943); y en su única novela larga, *La pérdida del reino* (1972)– podemos palpitar la gravitación y la pulsión de esa obra invisible, como si el conjunto de sus textos fuera un palimpsesto análogo al que Borges imaginó a propósito de "Pierre Menard":

> He reflexionado que es lícito ver en el Quijote "final" una especie de palimpsesto, en el que deben traslucirse los rastros –tenues pero no indescifrables– de la "previa" escritura de nuestro amigo. Desgraciadamente, sólo un segundo Pierre Menard, invirtiendo el trabajo del anterior, podría exhumar y resucitar esas Troyas [...]. (58-59)

Si bien es cierto que en las obras publicadas de José Bianco domina la retórica del "secreto abierto", no hay textos que sean más sugerentes del deseo homoerótico en lengua castellana que los suyos.

Sombras suele vestir es una breve exploración del deseo, donde se unen el deseo del otro con el deseo de saber. Sweitzer pasa la tercera parte de la novela buscando entender qué ha pasado con su socio Bernardo Stocker y cuál es la naturaleza del vínculo que une a su socio con el joven autista Raúl Vélez. En el último párrafo de la novela, Sweitzer "se vio reflejado en el espejo, con la papada temblorosa y más abajo que de costumbre" (Bianco, 1988: 46) porque andaba descalzo –y porque se sentía humillado por la frustración de sus deseos más íntimos–. Esa "etapa del espejo", ese retrato del personaje como un viejo desagradable, causa repugnancia (como también sucede en *Las ratas*): "Rechazó esta imagen poco seductora de sí mismo, apagó la luz, buscó a tientas la cama. Después, acariciándose los hombros por encima del camisón, trató de dormir" (46). Ya antes, Bernardo Stocker parece confundir la unión sexual con Jacinta Vélez con la masturbación (26), y nunca se nos dice –como nunca llega a saberlo Sweitzer– la naturaleza del vínculo que une a Stocker con Raúl, "un muchacho alto, corpulento" (40), cuyo autismo se lee como "un signo de superioridad" (41), y de quien Stocker dice: "acude espontáneamente a mí. Pero siempre habrá de interponerse algo entre nosotros" (41). Ese "algo" no es sólo el autismo de Raúl sino una especie de silencio íntimo de Stocker, para quien Raúl es una especie de espejo opaco en el que quisiera descubrir esa "espontaneidad" que le ha sido negada.

Las ratas, como ya indiqué, es un relato de amor y de odio, con la complicación de que hay amores entre Julio y la madre de Delfín (su madrastra) que causan terribles celos en Delfín, aunque nunca llegamos a saber si por cuestiones edípicas –porque es a la madre a quien desea– o por su nunca expresado amor por Julio. Delfín dice de sí mismo:

> En ese drama de familia, me imaginaba a mí mismo como un personaje secundario a quien le han confiado funciones de director escénico. Creía ser el único en conocer realmente la pieza. Estaba en posesión de muchas circunstancias más o menos pequeñas, y de algún hecho, no tan pequeño, quizá decisivo, cuya importancia escapaba a los demás. (50)

Pero el alarde de que su poder deriva de su presunto saber queda desdicho o fuertemente cuestionado por cómo él mismo define a su lector ideal:

> [...] yo necesitaría lectores que conocieran los motivos de mis actos, lectores clarividentes, justicieros, feroces, casi divinos, que no vacilaran en escupirme si llegara a mentir. Por eso estas páginas serán siempre inéditas. Pero acaso nunca lleguemos a mentir. Acaso la verdad sea tan rica, tan ambigua, y preside de tan lejos nuestras modestas indagaciones humanas, que todas las interpretaciones puedan canjearse y que, en honor a la verdad, lo mejor que podamos hacer es desistir del inocuo propósito de alcanzarla (83).

Aquí se ve que la actitud de Delfín hacia ese lector ideal está claramente escindida: quiere un lector que vea todo y, a la vez, dice que ese todo es imposible de ver. Desea que el lector vea la verdad y rechace la mentira, pero define la verdad como algo prácticamente inalcanzable.

La pérdida del reino se publica décadas más tarde, aunque el autor había comenzado a escribirla a fines de los 40. En parte, la historia se basa en el año y varios meses que Bianco pasó en París entre 1946 y 1948. El hecho de que uno de los núcleos de la novela sea la amistad que entabló en Francia con Octavio Paz y Elena Garro está confirmado oblicuamente en la versión de esa relación que Garro ofrece en *Testimonios sobre Mariana* (1981). En *La pérdida del reino*, nuevamente, la acción se centra en un narrador incapaz de decir lo que quiere y, tal vez, incapaz de sentir plenamente. El Rufo Velásquez, que cuenta la historia, sigue los pasos de un amigo, Néstor Sagasta, de quien está enamorado aunque nunca lo confiesa; ni siquiera se lo confiesa a sí mismo.

La vida de Bianco no se caracterizó por la imposibilidad de confesar el deseo ni por la incapacidad de tener relaciones amorosas. Él se deleitaba en el chisme amoroso, y nada le encantaba más que esa seducción por la palabra que es el chisme. Hacia el final de su vida contaba la anécdota de un joven apuesto y casado que venía a verlo –lo llamaba el "gerontófilo"– a quien los amigos vimos alguna vez, pero que existió sobre todo en las historias hilarantes de Pepe. ¿Es una lástima que su literatura nunca llegara a explicitar la materia de sus sueños, de sus deseos? No creo. Uno de sus últimos textos, "Borges" (1986), termina con el relato de un incidente enigmático. Bianco está en el escritorio de Borges. Éste abre una gaveta que guarda "una barrita de lacre rojo y una brújula" (353-54) e, inmediatamente después, la cierra. En su brevísima narración, Bianco espeja el procedimiento, cerrando la breve anécdota con esta frase: "Entonces comprendí por qué se había limitado a mostrármelos, sin decir una palabra" (354). El lector ha de comprender, así, sin que Bianco diga una palabra.

[1999]

Notas

[1] En la Argentina el equivalente se llama *placard*, y de hecho Delfín ha estado espiando el contenido de los *placards* de Julio un momento antes del pasaje transcrito (87).

El narrador dislocado y desplumado: los deseos de Riobaldo en *Grande Sertão: Veredas*

Hace poco leí con mis estudiantes el *Grande Sertão: Veredas*, y ocurrió algo curioso. Varios alumnos, al llegar al momento final de la novela, donde se descubre que Diadorim, el objeto de deseo del narrador, Riobaldo, es mujer (y no hombre, como pensaban Riobaldo y el lector), reaccionaron de la manera siguiente: ¿no es cobarde por parte del autor crear una historia de amor homosexual sólo para revelar a última hora que siempre fue heterosexual? ¿Acaso Riobaldo sólo puede narrar la historia porque Diadorim ya está muerta y él ya sabe que era mujer? Por extraño que parezca, la vasta bibliografía sobre la novela no parece incluir una reflexión acerca de esta cobardía íntima de su narrador (y tal vez de su autor), a pesar de que existen muchos estudios sobre su ambigüedad narrativa. Por lo tanto, quisiera esbozar una nueva lectura del texto, que sólo me parece posible si se toman en cuenta las propuestas de la *queer theory* anglo-americana (pienso sobre todo en la obra de Eve Kosofsky Sedgwick y Judith Butler).

El problema radica no tanto en el hecho de que Diadorim se disfrace de hombre para poder entrar en los combates de los *jagunços* –el travestismo en el combate tiene ilustres antecedentes en textos del medioevo[1]–, sino en el hecho de que Riobaldo cuente su versión de la vida de Diadorim y del deseo que sentía por ella, aunque en el momento de contar la historia ya sepa que Diadorim es mujer. Entonces tiene el lujo de saber –mucho antes que su interlocutor, y mucho antes que los lectores que leen la versión escrita por el interlocutor– que su aparente deseo homoerótico nunca fue tal cosa. Ese lujo es lo que parece haber molestado a mis alumnos: la aparente transgresión se construye desde un lugar seguro.

Tal vez sirva la comparación con *M. Butterfly*, de David Hwang Lee, obra donde el diplomático francés se enamora de la cantante de opera china sin saber, a pesar de la duración e intimidad de la relación, que la persona amada es hombre. En dicha obra, construida sobre noticias del periódico (es decir, desde una posición en que la verdad ya se sabe), la pregunta parecería ser no "¿cómo pude haberme enamorado de alguien de un sexo diferente al que pensaba que era?" sino "¿cómo no me di cuenta?" El hecho de que el espectador ya sepa el final –gracias a la chismografía de los periódicos– hace que la atención recaiga no en la equivocación sino en la persistencia en el error. Desde esta perspectiva, *Grande Sertão: Veredas* es una obra más conservadora, pues debe terminar una vez que se revela la verdad, mientras en *M. Butterfly* una revelación semejante es el punto de partida.

Se dice a menudo en los estudios críticos sobre *Grande Sertão* que Maria Deodorina da Fé Bettancourt Marins se disfraza de hombre y se hace llamar Diadorim para vengar la muerte de su padre. Sin embargo, las escenas de *flashbacks* hacia períodos anteriores de su vida –el encuentro de Riobaldo niño con el "Menino" a la orilla del río São Francisco y el encuentro de los dos ya adolescentes en casa del tío de Diadorim– ya la muestran trasvestida, o por lo menos ambigua en cuanto a su género sexual. Hay allí un problema para los que quieren –como Cavalcanti Proença– descubrir cuotas prefijadas de masculinidad y feminidad en su conducta. Si el Diadorim niño que conoce Riobaldo en la orilla del río ya parece niño varón –a pesar de ser biológicamente niña–, entonces su conducta no corresponde a estos estereotipos de la feminidad sino que es lo que en inglés se llama *tomboy*, la versión joven de la futura marimacha (*butch*). No es "hermafrodita" ni "andrógino" como han querido tantos críticos, sino una mujer marcada por una fuerte tendencia a la masculinidad (como la "Chris" hacia el final de la reciente película *Ma vie en rose*).

A continuación quisiera comentar algunos ensayos incluidos en el tomo de *Fortuna crítica* de Guimarães Rosa recopilado por Eduardo de Faria Coutinho. Ese volumen, en el que más de la mitad de sus 577 páginas están dedicadas al comentario de *Grande Sertão: Veredas*, no representa más que una pequeña parte de los trabajos críticos sobre la novela, pero sí incluye varios de los ensayos más significativos, ya clásicos: los de Manuel Cavalcanti Proença, Benedito Nunes, Antonio Cândido, Walnice Nogueira Galvão, Roberto Schwarz y otros. En la crítica sobre *Grande Sertão* puede rastrearse una marcada tendencia: la de ensalzar la ambigüedad narrativa en general sin entrar en una discusión profunda de la ambigüedad sexual en el texto. A lo sumo, si acaso se menciona este tema, se lo hace siempre en relación con la figura de Diadorim, nunca en relación con la del narrador Riobaldo. Comentaré cuatro de estos ensayos –los de Benedito Nunes, Antonio Cândido, Manuel Cavalcanti Proença y Jean-Paul Bruyas–, seleccionados porque giran todos en torno al tema de la ambigüedad, y demuestran en qué términos se ha planteado esta discusión en la crítica sobre la novela.

El ensayo de Benedito Nunes, "O amor na obra de Guimarães Rosa", es uno de los más citados en la bibliografía sobre el autor y parecería muy prometedor para este estudio. Nunes analiza varios casos de amor en la obra de Rosa, concentrándose exclusivamente en el objeto deseado; sin ambages, habla de varias mujeres amadas y de Diadorim. Dice de este último: "Diadorim, ambíguo, menino que é também menina, desperta a alma de Riobaldo, infunde-lhe o desassossego, toque de Eros, que mais tarde, nos longes do Sertão, se converterá em amor" (Coutinho, 1983: 160). Rastrea la presencia del andrógino en la tradición desde el *Banquete* de Platón a las mitologías populares cristianas de la "Criança Divina" o "Criança Primordial" (163). Menciona que estas figuras dobles suelen ser a la vez divinas y diabólicas (164) y compara a Diadorim con las mujeres que ama Riobaldo: "Diadorim é um outro modo de amor, incomparável com o de Otalícia e Nhorinhá –amor que tinha um quê de paradisíaco, de idílico [...] e algo de ameaçador, escondendo o encanto noturno e proibido de uma felicidade enganosa" (165). Resume: "Diadorim, que pertence à família do infante mítico, representa a fase caótica, ambígua de *eros*. Mas *eros* é extremamente versátil e suas encarnações são múltiplas" (165). A continuación, sin embargo, Nunes no comenta la "versatilidad" del eros ejemplificado por Diadorim, sino la figura de la vieja Dona Rosalina en "A estória de Lélio e Lina" (166). Parecería que la aceptación de conceptos junguianos como el "eterno femenino" (168) priva a Nunes (sin duda uno de los críticos más inteligentes de la obra de Rosa) de la posibilidad de trabajar las múltiples ambigüedades de la relación Riobaldo-Diadorim. Ésta no alcanza a comprenderse si nos limitamos a tratar de dilucidar si Diadorim es mujer, o mujer/hombre, o andrógino, o dual, etc., sino que es necesario verla como una crisis de categoría (para utilizar el conocido concepto de Thomas Kuhn). Riobaldo piensa que está enamorado de un hombre, cosa que le preocupa pero que logra dilatar; sin embargo, el descubrimiento posterior de que ese hombre es mujer no explica el deseo que sintió antes por muchos años, cuando pensaba que era hombre.

Antonio Cândido, en el también célebre ensayo "O homem dos avessos", también explora la ambigüedad de la relación Riobaldo-Diadorim:

A amizade ambígua por Diadorim aparece como primeiro e decisivo elemento que desloca o narrador do seu centro de gravidade. Levado a ele (ou a ela) por um instinto poderoso que reluta em confessar a sí próprio, e ao mesmo tempo tolhido pela aparência masculina –Riobaldo tergiversa e admite na personalidade um fator de desnorteio, que facilita a eclosão de sentimentos e comportamentos estranhos, cuja possibilidade se insinua pela narrativa e o vão lentamente preparando para as ações excepcionais, ao obliterar as fronteiras entre lícito e ilícito (Coutinho, 1983: 307).

Y cita este pasaje de *Grande Sertão*:

Ele fosse uma mulher, e à-alta e desprezadora que sendo, eu me encorajava: no dizer paixão e no fazer-pegava, diminuía: ela no meio de meus braços! Mas dois guerreiros, como é, como iam poder se gostar, mesmo em singela conversação por detrás de tantos brios e armas? Mais em antes de matar, em luta, um o outro. E tudo impossível. Três-tantos impossível, que eu descuidei, e falei: –[...] *Meu bem, estivesse dia claro, e eu pudesse espiar a cor de seus olhos* [...]–; o disse, vagável num esquecimento, assim como estivesse pensando somente, modo se diz um verso (Rosa, 1982: 436-37).

Al centrar su discusión en Diadorim y en los momentos de la novela en que Riobaldo dice que se habría enamorado del compañero si hubiera sido mujer, no presta atención al hecho de que Riobaldo –cuando cuenta su historia años después– sabe que sí era mujer, pero que se había enamorado de ella pensando que era hombre. Los "comportamientos extraños", según Cândido, borran las fronteras entre lo lícito y lo ilícito y siguen definiéndose, en la obra de este crítico, desde la supuesta "normalidad".

Manuel Cavalcanti Proença, en su clásico ensayo sobre los resabios de la épica medieval en *Grande Sertão*, afirma:

[...] a paixão do jagunço Riobaldo pelo moço Diadorim, não se parece, no seu primitivismo, com o refinamento de romancistas europeus lavrando no lusco-fusco do homossexualismo. Antes nos recorda processo muito ao gosto do povo –de dar aparência de imoralidade a fatos comuns– explorados, principalmente, nas adivinhas como a da agulha, do macarrão, dos olhos, ou de João e Maria (Coutinho, 1983: 318)

Curiosamente, el mejor estudio de la ambigüedad genérica/ sexual de Diadorim, el ensayo de Manuel Cavalcanti Proença, depende casi totalmente de una serie de estereotipos culturales para explorar los atributos masculinos y femeninos de Diadorim:

un hombre no puede conocer el nombre de una flor ni apreciar la naturaleza, una mujer no puede ser una gran guerrera, etc. Proença no habla nunca de comportamientos que mezclan atributos femeninos y masculinos, ni de la manera en que Guimarães Rosa cuestiona dichos estereotipos. Lejos de un "primitivismo" puro, esta novela, escrita después de Freud y de varias novelas europeas que trabajan el "lusco-fusco do homossexualismo", socava constantemente ideas preestablecidas de sexo, género y orientación sexual.

Jean-Paul Bruyas, en su ensayo "Técnicas, estruturas e visão em *Grande Sertão: Veredas*", es el que presta más atención a la ambigüedad sexual en la novela, aunque, nuevamente, recurre a estereotipos de lo masculino y lo femenino para definir el problema y circunscribe su lectura a Diadorim. Sin embargo, Bruyas al menos dedica un espacio significativo al aparente amor homosexual en la novela. Observa:

O que Riobaldo procura desesperadamente alcançar, e que lhe escapa sempre, é o seu amor por Diadorim. Nesse sentido *Grande sertão* é um romance de amor e dos mais romanescos [...]. Mas *Grande Sertão* manifesta, ao mesmo tempo, a negação do romance de amor. O sentimento nunca é analisado; mais ainda, por causa da proibição que pesa sobre ele, devido ao sexo suposto de Diadorim, é apresentado como por essência não analisável, ininteligível, como exatamente absurdo no sentido filosófico do termo: presente e desprovido de sentido. Certamente ele existe no âmago das duas vidas e dá, como se pode supor, sabor ao cotidiano (Coutinho, 1983: 465-66).

Más adelante, discute la sexualidad de Riobaldo:

No fundo, o que conhecemos de Riobaldo, sem dúvida 'o mais conhecido' dos personagens? A bravura, naturalmente; a sensualidade, também; uma espécie de orgulho que se confunde quase com virilidade e vitalidade; e o movimento carnal, e mais que carnal, que o impulsiona em direção de Diadorim. Mas esta paixão nunca é analisada, nunca atinge, para o leitor, a forma superior de existência de algo que é explicado [...]. Para nós, e de modo especial para aquele que o vive, aos vinte anos, para aquele que se lembra trinta anos mais tarde de ter vivido aquilo, ela tem a realidade opaca, intacta, do pedregulho. Certamente a natureza deste apego, ou dessa situação (a atração de um homem heterossexual pelo ser que ele acredita ser um homem) ajuda o autor a apresentar a paixão como sendo incompreensível (470).

Pero: ¿por qué definir a Riobaldo como "hombre heterosexual"? La novela parecería sugerir por lo menos una fluidez en su orientación, una especie de bisexualidad tal vez nunca realizada pero muy presente en sus deseos ambiguos. En rigor, ni siquiera se puede hablar realmente de "bisexualidad", ni de orientación sexual: el deseo en *Grande Sertão* es tan fluido que no se deja canalizar y se desborda de cualquier orientación definida que le queramos dar. Continúa Bruyas:

> Sexualmente e afetivamente, idêntica divisão que, de um só golpe, se estende à totalidade de sua vida. Já no início, aos 20 anos, uma dupla divisão. Dentro de sua paixão por Diadorim, primeiramente há um dilaceramento entre a atração por um homem e sua consciência de *macho*, para quem essa atração é uma vergonha (471).

Bruyas trae a colación un tema nuevo en la crítica de *Grande Sertão*: la novela presenta el machismo como un monolito que se construye por la negación de las fisuras y por el rechazo de lo que se asocia con la "vergüenza". Bruyas no desarrolla esta idea, pero sugiere una lectura más matizada de la función de los estereotipos genérico-sexuales en la novela.

Ahora quisiera regresar a la reacción de mis alumnos. Lo extraño de la novela no radica tanto en la dualidad de Diadorim, en sus disfraces y ambigüedades, sino en las estrategias de Riobaldo para narrar lo que sólo podemos llamar su amor por Diadorim. Al esperar décadas para relatar la historia y hacerlo recién cuando sabe cuál es el sexo biológico de Diadorim, Riobaldo distancia los impulsos libidinales que lo confundían en vida de Diadorim. Es decir, centra en Diadorim todos los enigmas del texto para que él —narrador y personaje de su historia— no se transforme en el foco de interés del interlocutor (y del lector). Si Bruyas puede definir a

Riobaldo como el "más conocido" de los personajes de la novela, es porque la crítica ha dado por sentado que el lugar de la ambigüedad no es él sino Diadorim. Desplazar la atención a un personaje tan espectacularmente *desviado* –la mujer guerrera, encarnación no sólo de tradiciones medievales sino también de las amazonas de la leyenda del descubrimiento del Brasil y de la "monja alférez" del otro lado de la cordillera– es una estrategia que procura evitar que él mismo se transforme en "raro". Sin embargo, dada la fuerte carga cultural que se asocia a orientaciones sexuales "desviadas", no sorprende que algunos lectores se fijen cada vez más en Riobaldo. Porque él, artífice de lo que caracteriza como el "canto e plumagem das palavras" que recopila su interlocutor, ha construido su masculinidad sobre una fundación socavada, sobre la negación de las "plumas" de su discurso.[2]

He aquí el problema central: Riobaldo ama a Diadorim, y lo sigue amando en el recuerdo mucho después de su muerte, es decir, mucho después de saber que es mujer. Pero lo sigue amando *como si fuera hombre*. En un momento dice, por ejemplo: "Para meu sofrer, muito me lembro. Diadorim, todo formosura" (Rosa, 1982: 385. Nótese el adjetivo masculino *todo*). A diferencia del pasaje que cita Antonio Cândido, en el que Riobaldo dice que se habría enamorado de Diadorim si hubiera sido mujer (o si hubiera sabido a tiempo que era mujer), hay muchos fragmentos como los siguientes, donde la aparente masculinidad de Diadorim es lo que lo seduce:

Conforme pensei em Diadorim. Só pensava era nele. Um joão-congo cantou. Eu queria morrer em meu amigo Diadorim, mano-oh-mão, que estava ne Serra do Pau-d'Arco, quase na divisa baiana, com nossa outra metade dos sô-candelarios [...].Com meu amigo Diadorim me abraçava, sentimento meu ia-voava reto para ele (19. Ésta es la primera referencia a Diadorim en la novela).

Diadorim e eu, nós dois. A gente dava passeios. Com assim, a gente se diferenciava dos outros –porque jagunço não é muito de conversa continuada nem de amizades estreitas (25).

eu ambicionando de pegar em Diadorim, carregar Diadorim nos meus braços, beijar (33).

Que vontade era de pôr meus dedos, de leve, o leve, nos meigos olhos dele, ocultando, para não ter de tolerar de ver assim o chamado, até que ponto esses olhos, sempre havendo, aquela beleza verde, me adoecido, tão impossível (38).

Diadorim era aquela estreita pessoa –não dava de transparecer o que cismava profundo, nem o que presumia. Acho que eu também era assim. Dele eu queria saber? Só se queria e não queria. Nem para se definir calado, em si, um assunto contrário absurdo não concede seguimento (49).

eu dele era louco amigo, e concebia por ele a vexável afeição que me estragava, feito um mau amor oculto (65).

Gostava de Diadorim, dum jeito condenado; nem pensava mais que gostava, mas aí sabía que já gostava em sempre (74).

O moço, tão variado e vistoso, era, pois sabe o senhor quem, mas quem, mesmo? Era o Menino! [...] Os olhos verdes, semelhantes grandes, o lembrável das compridas pestanas, a boca melhor bonita, o nariz fino, afiladinho... Eu queria ir para ele, para abraço, mas minhas coragens não deram (107-08. Descripción del "Reinaldo" o Diadorim adolescente).

O nome de Diadorim, que eu tinha falado, permaneceu em mim. Me abracei com ele. Mel se sente é todo lambente –'Diadorim, meu amor [...]' Como era que eu podia dizer aquilo? Explico ao senhor: como se drede fosse para eu não ter vergonha maior, o pensamento dele que em mim escorreu figurava diferente, um Diadorim assim meio singular, por fantasma, apartado completo do viver comum, desmisturado de todos, de todas as outras pessoas –como quando a chuva entre-onde-os-campos. Um Diadorim só para mim. Tudo tem seus mistérios. Eu não sabia. Mas, com minha mente, eu abraçava com meu corpo aquele Diadorim –que não era de verdade. Não era? (221).

Diadorim estava perto de mim, vivo como pessoa, com aquela forte meiguice que ele denotava. Diadorim conversou, aceitei a companhia dele. Logo larguei meu começo de mão, relaxei aqueles propósitos (305).

Diadorim [...] com uma beleza ainda maior, fora de todo comum (374).

Para meu sofrer, muito me lembro. Diadorim, todo formosura (385).

[...] de Diadorim eu gostava com amor, que era impossível. E. Mire e veja: o senhor se entende? Deixe avante; conto (413).

Deixei meu corpo querer Diadorim; minha alma? Eu tinha recordação do cheiro dele [...]. Diadorim –mesmo o bravo guerreiro– ele era para tanto carinho: minha repentina vontade era beijar aquele perfume no pescoço... E eu tinha de gostar tramadamente assim, de Diadorim, e calar qualquer palavra.

E, Diadorim, às vezes conheci que a saudade dele não me desse repouso; nem o nele imaginar (458. Nótese que los adjetivos masculinos todavía se usan para describir a Diadorim aun después de la revelación de su sexo verdadero).

Este acopio de citas (seguramente excesivo) es elocuente por lo que dice de los deseos de Riobaldo, que frecuentemente aluden a la masculinidad de Diadorim. Pero a la vez esa inclinación amorosa lo preocupa: "eu vinha tanto tempo me relutando, contra o querer gostar de Diadorim mais do que, a claro, de um amigo se pertence gostar" (30). Lo que Eve Kosofsky Sedgwick llama "pánico homosexual" –el mecanismo de defensa de agrupaciones homosociales, como el bando de *jagunços* de la novela, que no permite la afloración del deseo homoerótico– es aquí lo que funciona para vigilar que la amistad de los dos compañeros no devenga otra cosa. En otro momento del relato este pánico se convierte explícitamente en rechazo: "Sofismei: se Diadorim segurasse em mim com os olhos, me declarasse as todas as palavras? Reajo que repelia. Eu? Asco! Diadorim parava normal, estacado, observando tudo sem importância. Nem provia segredo. E eu tive decepção de logro, por conta desse sensato silêncio?" (50). O mucho más adelante: "De que jeito eu podia amar um homem, meu de natureza igual, macho em suas roupas e suas armas, espalhado rústico em suas ações?!" (374). Lo que inquieta a Riobaldo –además de las prohibiciones sociales en contra de la homosexualidad– es la posibilidad de que la aparente perversión de Diadorim lo marque también a él, que ambos sean "de natureza igual". Entonces se esfuerza por marcar su diferencia (y su distancia) con respecto a Diadorim: procura feminizarlo y, a la vez, fortalecer su propia masculinidad. Demostrar, pues, que no son dos hombres de la misma naturaleza.

El deseo de feminizar a Diadorim se expresa también en otro momento, cuando Riobaldo dice: "Meu corpo gostava de Diadorim [...]. Meu corpo gostava do corpo dele, na sala de teatro. Maiormente [...]. Que é que queria? [...]. Falei sonhando: –'Diadorim, você não tem, não terá alguma irmã, Diadorim?'" (140). En el pasaje citado por Cândido, dice Riobaldo:

> Deixei meu corpo querer Diadorim; minha alma? Eu tinha recordação do cheiro dele [...]. Diadorim –mesmo o bravo guerreiro– ele era para tanto carinho: minha repentina vontade era beijar aquele perfume no pescoço. . . E eu tinha de gostar tramadamente assim, de Diadorim, e calar qualquer palavra. Ele fosse uma mulher, e à-alta desprezadora que sendo, eu me encorajava: no dizer paixão e no fazer-pegava, diminuía: ela no meio de meus braços! Mas, dois guerreiros, como é, como iam poder se gostar, mesmo em singela conversação –por detrás de tantos brios e armas? Mais em antes se matar, em luta, um o outro. E tudo impossível. Três-tantos impossível, que eu descuidei, e falei:– [...]. *Meu bem, estivesse dia claro, e eu pudesse espiar a cor de seus olhos* [...]–; o disse, vagável num esquecimento, assim como estivesse pensando somente, modo se diz um verso. Diadorim se pôs pra trás, só assustado. –*O senhor não fala sério!* (436-37).

Pero a la vez Riobaldo se define como "diferente", y esa palabra no puede no tener una connotación sexual: "sou nascido diferente. Eu sou é eu mesmo. Divêrjo de todo o mundo" (15). Esa "diferencia" también se asocia con Diadorim, incluso en la descripción de su primer encuentro en la orilla del río São Francisco en la lejana niñez: "ele era muito diferente, gostei daquelas finas feições, a voz mesma, muito leve, muito aprazível [...]. Fui recebendo em mim um desejo de que ele não fosse mais embora" (81). Las manos de Diadorim son también diferentes de un modo que perturba al Riobaldo niño: "Era uma mão bonita, macia e quente, agora eu estava vergonhoso, perturbado" (81). Una vez más insiste en la diferencia: "Ele, o menino, era dessemelhante, já disse, não dava minúcia de pessoa outra nenhuma. Comparável um suave de ser, mas asseado e forte [...]. Eu queria que ele gostasse de mim" (82). Diadorim también se define por esa misma cualidad: "Sou diferente de todo o mundo" (86). La "diferencia" —ambigüedad genérica, pero también diferencia con respecto a las normas de comportamiento genérico-sexual— los marca entonces a ambos, sobre todo, cuando están juntos. La conciencia de que esto es así suele provocar en ellos emociones negativas: celos, odio, rechazo. Hacia el final, es evidente que Riobaldo piensa llamar a Diadorim *maricón* (*bicha* o *viado* en portugués) pero se muerde el labio (¿consciente de que ese nombre también podría tildarlo a él?): "doeu no meu beiço o que eu estava me mordendo, assim para não insultar Diadorim com nomes que fossem da maior ofensa" (365). (Cuando dice que "o que guerreia é o bicho, não é o homem" [417], ¿será que está latente el hecho de que ama a un *bicha* y no a un hombre?).

Uno de los momentos más tensos de la novela gira precisamente en torno a la difícil definición de la masculinidad. Riobaldo se da cuenta de que la amistad o el amor que siente por Diadorim socava su identidad:

Estou contando ao senhor, que carece de um explicado. Pensar mal é fácil, porque esta vida é embrejada. A gente vive, eu acho, é mesmo para se deseludir, e desmisturar. A senvergonhice reina [...]. Mas ponho minha fiança: homem muito homem que fui, e homem para mulheres!–nunca tive inclinação pra aos vícios desencontrados. Repilo o que, o sem preceito. Então –o senhor me perguntará– o que era aquilo? [...]. Aquele mandante amizade. Eu não pensava em adiação nenhuma, de pior propósito, dia mais dia, mais gostava. Diga o senhor: como um feitiço? Isso. Feito coisa-feita. Era ele estar perto de mim, e nada me faltava. Era ele fechar a cara e estar tristonho, e eu perdia meu sossego. E eu mesmo não entendia então o que aquilo era? Sei que sim. Mas não. E eu mesmo entender não queria. Acho que. Aquela meiguice, desigual que ele sabia esconder o mais de sempre. E em mim a vontade de chegar todo próximo, quase uma ânsia de sentir o cheiro do corpo dele, dos braços, que às vezes adivinhei insensatamente –tentação dessa eu espairecia, aí rijo comigo renegava. Muitos momentos (114).

No quiere entender, se pregunta incesantemente qué era aquello que había entre los dos, evita contestar la pregunta. La aparente imposibilidad que tiene Riobaldo de precisar su relación con

Diadorim es un ejemplo más de su autodefinición como "hombre para mujeres", como heterosexual mujeriego. Diadorim no cabe cómodamente en la categoría "mujer" y, lo que es más grave aún, dificulta la imagen de Riobaldo como "hombre para mujeres". Cuando Riobaldo confiesa que los demás del bando notaban su diferencia –"Achavam que eu era esquisito" (125)– esa "rareza" (recordemos que "esquisito" significa "raro" en portugués) pone en tela de juicio su hombría y su virilidad (lo que él llama *macheza*), el "dever de minha hombridade" (400).

Riobaldo manifiesta su deseo de definirse de una vez para siempre, pero la misma expresión sugiere que es un deseo de conversión:

[...] eu desconfiava mesmo de mim, não queria existir em tenção soez [...] com dura mão sofreei meus ímpetos, minha força esperdiçada; de tudo me postrei. Ao que me veio uma ânsia. Agora eu queria lavar meu corpo debaixo da cachoeira branca dum riacho, vestir terno novo, sair de tudo o que eu era, para entrar num destino melhor (240-41).

Ese deseo de ser bautizado de nuevo o de pasar por un rito de limpieza espiritual está evidentemente ligado al deseo de no ser lo que es. Pero ¿qué es Riobaldo?

La novela vuelve una y otra vez a la filosofía de Riobaldo de que el ser humano no está definido de una vez para siempre sino que es contradictorio, puede ser dos o inclusive más. Tal perspectiva –siempre que se relacione con el amor que siente Riobaldo por Diadorim– remite a los "axiomas" que expone Eve Kosofsky Sedgwick en *Epistemology of the Closet*. Al convertir la pregunta "what's in a name?" de *Romeo y Julieta* en el interrogante "Que é que é um nome?" (121), en la novela de Rosa el personaje está preguntándose no sólo por el "nombre verdadero" de Diadorim sino por el valor de las etiquetas que utilizamos para definirnos, etiquetas como "hombre" y "mujer", como "heterosexual" y "homosexual". En distintos pasajes, Riobaldo afirma la heterogeneidad del mundo: "este mundo é muito misturado" (169, 170). Esa imposibilidad de definir y de definirse se reitera en otras ocasiones: "Quem sabe direito o que uma pessoa é?" (205) o "toda firmeza se dissolve" (239).[3] Riobaldo se pregunta quién es: "Natureza da gente não cabe en nenhuma certeza" (315), y también: "Posso me esconder de mim?" (320). Contrasta al amigo –que tiene muchos nombres, y que es sumamente ambiguo– con un ser aparentemente más ambiguo y más confuso todavía: "Diadorim, que era o Menino, que era o Reinaldo. E eu. Eu?" (341). Se pregunta: "o demo então era eu mesmo?" (356). O un poco más adelante: "Eu era dois, diversos?" (369). Y resume: "eu mesmo estava contra mim" (371). Su filosofía servirá para justificar la "travesía" y para expresar la diversidad y la mezcla que caracterizan su universo, pero Riobaldo se queda finalmente sin la posibilidad de definirse a sí mismo, convirtiéndose en el ser más enigmático de su historia.

La idea de la innata heterogeneidad del ser aparece también, metafóricamente, en las referencias al teatro (alusiones algo sorprendentes, dado el contexto rural de la novela). Riobaldo piensa que la gente *representa un papel* y del mismo modo que representa uno podría representar otro.[4] Aquí la relación con Diadorim obliga a Riobaldo a pensar en ese aspecto teatral. Dice: "Meu corpo gostava de Diadorim. . . . Meu corpo gostava do corpo dele, na sala de teatro" (140). Y más adelante:

[...] eu já achava que a vida da gente vai em erros, como um relato sem pés nem cabeça, por falta de sisudez e alegria. Vida devia de ser como na sala do teatro, cada um inteiro fazendo com forte gosto seu papel, desempenho. Eu o que eu acho, é o que eu achava (187).

En esta cita llama la atención la insistencia en que cada uno juega o representa un solo papel, y no diversos papeles, como cabría esperar dada la filosofía que hemos mencionado. Todo el *Sertão* se convierte en "O teatral do mundo" (276).

Más o menos en la mitad de la larga conversación, Riobaldo desafía a su interlocutor a descubrir el secreto que encierra Diadorim:

> Ah, meu senhor, mas o que eu acho é que o senhor já sabe mesmo tudo –que tudo lhe fiei. Aqui eu podia pôr ponto. Para tirar o final, para conhecer o resto que falta, o que lhe basta, que menos mais, é pôr atenção no que contei, remexer vivo o que vim dizendo. Porque não narrei nada à-tôa (234).

Este desafío verbal es una referencia a un pasaje anterior donde había dicho:

> Me lembro, lembro dele nessa hora, nesse dia, tão remarcado. Como foi que não tive um pressentimento? O senhor mesmo, o senhor pode imaginar de ver um corpo claro e virgem de moça, morto a mão, esfaqueado, tinto todo de seu sangue, e os lábios da boca descorados no branquiço, os olhos dum terminado estilo, meio abertos meio fechados? E essa moça de quem o senhor gostou, que era um destino e uma surda esperança em sua vida?! Ah, Diadorim [...]. E tantos anos já se passaram. (147)

Cuando la mujer de Hermógenes se refiere al cuerpo de una mujer desnuda (que después resulta ser Menino/Reinaldo/ Diadorim/Deodorina), es fascinante que aún entonces, dos páginas antes del final del texto, Riobaldo utilice el pronombre masculino para referirse a Diadorim: "E, Diadorim, às vezes conheci que a saudade dele não me desse repouso; nem o nele imaginar" (458). El lector no puede sino preguntarse qué ha resultado más traumático para Riobaldo, si la muerte de Diadorim o el descubrimiento de que es mujer. Su amor por Diadorim siempre ha sido, y siempre será, el amor por un hombre y eso, como dice varias veces, forma parte de su destino ("Por isso era que eu gostava dele em paz? No não: gostava por destino" [285]). Pero es un "gusto" y un "destino" que descubre a lo largo del viaje de su vida: "o real não está na saída nem na chegada: ele se dispõe para a gente é no meio da travessia" (52). *Travessia*: la última palabra de la novela (460) y, también, un modelo de conocimiento. "Mestre não é quem ensina, mas quem de repente aprende" (235): el "de repente" de la epifanía –de quien presencia la revelación del sexo de la persona amada, por ejemplo– es a la vez producto de un largo viaje de conocimiento, un viaje donde las definiciones no son ni punto de partida ni de llegada sino revelaciones súbitas, iluminaciones.

[1999]

Notas

[1] Véase sobre todo el conocido ensayo de Manuel Cavalcanti Proença, "Don Riobaldo do Urucuia, Cavaleiro dos Campos Gerais", en Coutinho (1983). Otra historia semejante a la de Diadorim es la de Catalina de Erauzo, quien existe en las mil y una versiones de la historia de la "monja alférez". A propósito puede consultarse el valioso estudio de Stephanie Merrim.

[2] Aquí pienso en la brillante –y divertida– discusión que hace Brad Epps de la función de las plumas en Goytisolo y Arenas (1996), y en el artículo de Oswaldino Marques sobre *Grande sertão*, "Canto e plumagem das palavras" (1957).

[3] Es la misma cita del *Manifiesto comunista* que utiliza Marshall Berman como título de *All That Is Solid Melts Into Air*.

[4] Como afirma Judith Butler en *Gender Trouble* (1990), la orientación sexual se construye a lo largo de una serie de *performances* reiteradas.

Sexualidad y revolución: en torno a las notas de *El beso de la mujer araña*

El lector de *El beso de la mujer araña* recordará –tal vez con curiosidad, tal vez con irritación– las ocho largas notas sobre teorías de la homosexualidad. Esas notas, que culminan en las revelaciones del vínculo entre revolución y liberación gay propuestas en el libro *Sexualidad y revolución* de la doctora danesa Anneli Taube, acompañan gran parte del diálogo entre Molina y Arregui. Su presencia es uno de los mayores puntos de discrepancia de opiniones en torno a la novela y plantea dificultades y desafíos a los críticos a la hora de abordar su coherencia como texto.[1] Las notas acompañan sólo un aspecto del diálogo Molina-Arregui, ya que no hay otra serie análoga sobre teoría marxista ni sobre praxis de la guerrilla urbana.

Gracias a la generosidad de José Amícola, Graciela Goldschluk y Julia Romero, quienes me proporcionaron copias de los borradores de la serie de notas, voy a estudiar en este ensayo el uso que hace Puig de diversas fuentes sobre teorías de la homosexualidad y del papel de la liberación gay en un proceso de cambio social más generalizado. Para ello, voy a describir la génesis de las notas, sus fuentes en la vasta literatura sobre el tema y su función en la novela. Mi tesis es que las notas configuran un breve tratado sobre la sexualidad, que aborda principalmente la relación entre la liberación sexual y el cambio social, y que ese tratado merece leerse como tal, y en su totalidad, no apenas en contrapunto con la "acción principal" de la novela que ocurre en "el texto de arriba", como lo llama Lucille Kerr.[2] Conocidos son los esfuerzos que Puig hizo para eliminar la instancia del narrador (a diferencia de sus coetáneos del "Boom", autores muy conscientes de –y complacidos con– la función central de una voz narrativa poderosa en el texto). En ese sentido, las notas ofrecen un acceso casi único al punto de vista de su autor.

Pero sería conveniente primero repasar el contenido de las ocho notas en cuestión (no voy a comentar una novena nota, la que completa la trama de la supuesta película nazi, porque nada tiene que ver con el proyecto de las notas sobre homosexualidad, y entabla una relación muy distinta con el "texto de arriba". La *primera* (Puig, 1976: 66-68) resume tres teorías sobre el origen físico de la homosexualidad (desequilibrio hormonal, intersexualidad, factores hereditarios) y las refutaciones de dichas teorías por el psicólogo inglés D. J. West. La *segunda* (102-3) sintetiza tres "teorías del vulgo" sobre el origen psíquico de la homosexualidad (la seducción, la segregación y la perversión), y termina con las teorías de Sigmund Freud sobre su origen en la infancia. La *tercera* (133-35) continúa con Freud (y con algunos de sus seguidores más o menos ortodoxos, como Anna Freud) en torno a la psicología del niño, la libido infantil, la bisexualidad original y la función de la represión. La *cuarta* (141-43) se ocupa de la idea ortodoxa freudiana de que la homosexualidad se debe a una excesiva identificación del niño con la madre. La *quinta* (154-55) trata la función de la dominación patriarcal en el funcionamiento de la represión, mencionando por primera vez a freudianos heterodoxos, como Reich, Marcuse y Norman O. Brown, y al ideólogo australiano de la liberación gay, Dennis Altman. La *sexta* (168-71) discute la fortuna crítica de la idea freudiana de la sublimación en estos mismos heterodoxos y abre un nuevo tema: la posible función de la liberación sexual en el cambio social. La *séptima* (199-200) recuerda que Freud no aprobaba el rechazo social al que está sujeto el homosexual (cita su conocida "Carta a una madre norteamericana"), y propone que si se liberara la "perversión polimorfa" original, eso produciría fuertes cambios en la sociedad, en los papeles sexuales y en la liberación humana en general. La *octava* y última (209-11) aboga de nuevo por la liberación de la "perversión polimorfa" (mencionando a Marcuse y a Brown en sus interpretaciones de Freud), recuerda que Fenichel dice que en la actualidad los únicos papeles sexuales son los que se imitan de la madre y el padre, y termina con una extensa consideración de las ideas de la doctora Taube sobre el vínculo entre liberación sexual y revolución.

Las ocho notas, entonces, recorren una gama muy amplia del pensamiento de este siglo en torno a la dialéctica de la opresión y la liberación sexuales. Se citan un total de veintiséis autoridades —desde Freud y Lenin a la doctora Taube— y un total de treinta y un textos (entre ellos, cinco de Freud y dos de Marcuse). Este extenso tratado sobre la liberación sexual llama la atención por la aparente diversidad de las fuentes, por un lado, y por su fuerte tesis final: la liberación sexual en general y la liberación gay en específico son partes esenciales del anhelado cambio social; hay nexos fuertes (Lenin, Marcuse, Taube) entre algunas ideas de la liberación sexual y el pensamiento marxista.[3]

Tal acopio de autoridades, citas, resúmenes y textos sugiere una amplia investigación. Sin embargo, un examen cuidadoso de las citas y pasajes resumidos de los veintiséis autores revela que —con tres excepciones— *todos* ya estaban citados en las dos fuentes más utilizadas por Puig, *Homosexuality*, del psicólogo inglés D. J. West (1967), y *Homosexual Oppression and Liberation*, del politólogo australiano Dennis Altman (1971). La primera excepción es el libro de memorias de C. S. Lewis, *Surprised by Joy*, que incluye descripciones de prácticas homosexuales en escuelas inglesas de internado (una situación paralela a la de los prisioneros en la novela y a la de los prisioneros en general, tan frecuentados por los estudiosos del tema). La segunda es una referencia a *La interpretación de los sueños* de Freud, pero en realidad las ideas referidas están resumidas en West (aunque en referencia a otros textos de Freud). La tercera es el resumen de las ideas de la doctora Taube quien, como explica Lucille Kerr en su libro sobre Puig, es el autor travestido.

En términos generales, las notas 1 a 4 remiten al libro de West y las notas 5 a 8 al libro de Altman, pero hay algunas excepciones a ese esquema. En todo caso, los resúmenes de los estudios sociológicos y psicológicos provienen en su gran mayoría de West y las discusiones de los freudianos heterodoxos (Reich, Marcuse, Brown), de los ideólogos de la revolución sexual y de la contracultura (Millett, Roszak). Incluso la referencia a las ideas de Lenin en torno a la liberación sexual proviene de Altman. Lo curioso del empleo de estas dos fuentes es que el libro de West es duramente condenado por Altman por el uso que hace del lenguaje de las ciencias sociales de los sesenta: West utiliza, sin aparente ironía, términos descriptivos que implican un fuerte juicio moral: "normal", "perverso", "desviado". Altman comenta:

[...] por hábil que sea como psicólogo no es un pensador muy lógico, y suele confundir el prejuicio social con las leyes naturales (49).

Y más adelante:

[...] su uso de palabras como "natural", "perversión", etc., depende fuertemente de una moralidad convencional. West es fuertemente conformista, incluso donde su conocimiento de especialista le indica que las normas sociales no siempre son de las más sensatas. (49)

Por su modo de utilizar a West, sobre todo al principio de las notas (las teorías sobre el origen de la homosexualidad), y de dejar a Altman para la segunda mitad de su pequeño tratado, Puig parece estar de acuerdo con este último: privilegia sus opiniones sobre la liberación gay y la transformación frente a las ideas más convencionales y conformistas de West sobre el origen de la homosexualidad. Lo que le interesa, en última instancia, no es lo que el homosexual *es* sino lo que *podría ser*.

Hay una pronunciada desigualdad en la importancia de los textos citados en las notas (o mejor dicho, citados en segundo grado, pues aparecen ya citados en West y en Altman). Uno siente un poco de vergüenza ajena al toparse con las elucubraciones de Theodore Roszak sobre la mujer que está dentro de cada hombre, pidiendo ser liberada. Su libro sobre la formación de la contracultura en Estados Unidos (publicado en 1969) es muy de época y resulta prácticamente ilegible hoy. Es reconfortante pensar que Puig no tal vez no leyó a Roszak (sino a Altman, quien lo cita), pero es muy probable que lo haya leído porque era casi imposible vivir en Estados Unidos y seguir las discusiones seudointelectuales de esos tiempos sin leer a Roszak.

En muchos casos, al cotejar las citas o las síntesis en las notas con los textos citados por West y Altman, se observan pequeñas simplificaciones de títulos, tergiversaciones de opiniones, fusiones de dos o tres autoridades en una. Por ejemplo, en la primera nota se resume el artículo del doctor Foss, "La influencia de andrógenos urinarios en la sexualidad de la mujer", con las siguientes palabras:

[...] las grandes cantidades de hormonas masculinas administradas a mujeres producen sí un notable cambio en dirección a la masculinidad, pero sólo en lo que concierne el aspecto físico: voz más profunda, barba, disminución de senos, crecimiento del clítoris, etc. En cuanto al apetito sexual, aumenta, pero continúa siendo normalmente femenino, es decir que el objeto de su deseo sigue siendo el hombre, claro está si no se trata de una mujer ya con costumbres lesbianas (66).

Ésta es una traducción casi completa del siguiente fragmento de West:

The effect of large doses of androgens on women is well known *as a result of naturally occuring adrenal tumours, which secret excessive amounts of androgens, and because big doses of androgens have been given as treatment for certain cancers.*

The woman's appearance undergoes a striking change in the direction of masculinity. The voice deepens, a beard grows, breasts regress, clitoris enlarges, *features coarsen, and feminine fat disappears*. Sexual desire usually increases, but remains normal feminine desire, unless of course lesbian inclinations were already present (158; énfasis nuestro).

Aparte de las pequeñas supresiones en la traducción de Puig (y de la aclaración de que el deseo "normal" femenino se dirige hacia el hombre, que no está en el original), lo interesante de este ejemplo es que West se refiere en su nota no sólo a G. L. Foss, "The influence of androgens on sexuality in women", sino también a otras dos fuentes: R. B. Greenblatt, "Hormonal factors in libido" y W. H. Masters y D. T. Magallon, "Androgen administration in the post-menopausal woman". Es decir, Puig simplifica el aparato crítico puesto que se refiere sólo a uno de los tres artículos. En la misma nota, cuando remite al doctor Swyer, autor de "Homosexualidad, los aspectos endocrinológicos", parafrasea un texto que aparece en la página 159 del libro de West, pero que se deriva del trabajo de un tal C. A. Wright, autor del artículo "Endocrine aspects of homosexuality". No quiero saturar este capítulo con más ejemplos. Los antes citados me permiten confirmar la hipótesis de que la investigación bibliográfica de Puig sobre el tema no fue exhaustiva, ya que se limitó a los libros mencionados.

El caso de la doctora Taube es interesante no sólo por el hecho de que el autor se disfraza de mujer sino por la gran semejanza entre sus ideas y las de Altman. El australiano, como la danesa, ve el movimiento de liberación gay como paralelo a –y solidario con– la liberación femenina y "el poder negro", y como parte de un frente unido aun más amplio. Los dos utilizan el lenguaje de la nueva izquierda de los sesenta y setenta. Incluso el mismo autor subraya estas similitudes entre Taube y Altman (210). La doctora afirma que el niño homosexual es un futuro revolucionario: "el rechazo que el niño muy sensible puede experimentar con respecto a un padre opresor –símbolo de la actitud masculina autoritaria y violenta–, es de naturaleza consciente" (209). Es interesante notar que "taube" significa "pichón" o "paloma" en alemán y que, en consecuencia, podría ser una alusión al conocido psicoanalista argentino Marcelo Pichon Riviere o, también, al uso afectivo de "pichón" como término cariñoso. Pero, además, "taube" guarda una estrecha resonancia con otra palabra posiblemente clave: *tabú*. La doctora es danesa, supongo, por la célebre primera operación de cambio de sexo, la de Christine Jorgensen, que se hizo en Dinamarca en 1952, alusión que remite al hecho de que, al asumir la voz de la doctora, el autor también está cambiando de sexo.

Las ideas de Taube/Altman sobre la revolución sexual y la perversión polimorfa posibilitan el acercamiento de Molina y Arregui y su cambio de papeles a lo largo de la novela: la lectura de los textos "de abajo" permite los cambios "arriba". En este juego de "abajo" y "arriba", como ya lo llamó Kerr, hay una inversión de papeles: si el macho (arriba, "lector cómplice") sujeta al de hembra (abajo, "lector hembra"), Puig, en cambio, utiliza las notas e inventa la autoridad de la doctora Taube para desestabilizar este esquema.

Un ejemplo final del uso de las fuentes. Puig escribe: "Marcuse señala que la función social del homosexual es análoga a la del filósofo crítico, ya que su sola presencia resulta un señalador constante de la parte reprimida de la sociedad" (199). Esto proviene de Altman, quien resume a Paul A. Robinson, autor del libro *The Freudian Left* sobre Reich, Roheim y Marcuse: "Robinson interpreta algunos de los escritos [de Marcuse] como una sugerencia de que 'en cierto sentido, entonces, la función social del homosexual es análoga a la del filósofo crítico'" (65). Sin duda, Marcuse está pensando en la famosa frase de Marx: "Los filósofos apenas han *interpretado* el mundo de diversas maneras, pero la tarea verdadera es *cambiarlo*". En las diversas entonaciones de la misma idea está la continuidad pero también la ruptura: es obvio que Marx no habría afirmado que el homosexual es el "filósofo crítico", el rebelde consciente, el héroe de la historia.

Por eso hay *una* cadena de notas y no dos. El filósofo crítico del diálogo en la celda no es Valentín Arregui sino el aparentemente frívolo Luis Molina. Necesita de la voz del otro, como de sus oídos, para elaborar su dialéctica. Es la voz de abajo, la voz del lector o espectador que se define como hembra –Taube, Marcuse, Freud, incluso Lenin y, sin duda, Puig– la que viene a protagonizar esta historia, una historia donde lo privado es público, donde lo personal es lo político.

Un examen del material manuscrito y mecanografiado revela que la primera versión que tiene que ver con las notas consiste en una lista de citas de Freud, Fenichel, Marcuse y muchos otros, derivadas de las lecturas que hizo Puig de West, Altman y otros. Estas citas se mecanografiaron, y después Puig las identificó en la letra manuscrita por medio de una serie de códigos: a, b, c etc. (empleando el alfabeto entero), para luego recomenzar con a', b', c' y así sucesivamente. (El hecho de que las citas hayan sido primero recogidas y luego reorganizadas en las notas [el texto "de abajo"] se puede verificar toda vez que el orden que ellas mantienen es diferente al que se evidencia en la colección original de las citas: la quinta nota, por ejemplo, contiene citas en el siguiente orden: k - l - b - e - j - d - h - ñ - o - t - u). Después hay una serie de páginas manuscritas donde Puig lucha con el ordenamiento del material y con el problema de la relación entre las notas y los respectivos capítulos de la novela. Un documento crucial es un esquema de los primeros once capítulos (de las dos columnas, la de la derecha se refiere a las notas):

1 – Pantera A
2 – Pantera B (y Jane)
3 – Leni A (y mozo) –>   Homo I {teorías 3 que Termina
                                con consenso de causas psic.
4 – Leni B, dolores SHE

5 – Seef [?] Cottage	–> Vulgo y start psic.
6 – 50's guerrilla, dolores HE	
Madre She, He's film	–> Edipo
7 – "Mi carta" – Dolores HE, He's film	–> Narcisismo ¿Anal?
8 – Director	–> Represión I

---

9 – Comida, Mejoría, Zombies A, carta dictada, lava –> Rep. II
10 – Salud HE, Zombies B
Desplante He por mimos   –> Rep. III
11 – Director – Vuelve She triste   –> Corolario

ME alone!!!

+

Nombre INVENTADO

PARA DEDUCCION

Rechazo Imagen Represor

Este esquema es, en esencia, el que sigue la novela que se publicó después, aunque abarca apenas once de los dieciséis capítulos. HE y SHE son Arregui y Molina respectivamente; también se
indican las películas que los personajes se van a contar.[4] La importancia del borrador reside en el papel estructurador central
que jugaron las notas desde una etapa temprana del proyecto. El
resumen de las notas es tal vez más claro que la sinopsis de la
acción principal: "Director – Vuelve SHE triste", por ejemplo, apenas sirve para dar una idea del capítulo en que Molina y Arregui
hacen el amor por primera vez. También es de gran interés el
hecho de que no haya mención alguna a los últimos cinco capítulos, que incluyen los preparativos para la liberación de Molina, la
película cabaretera mexicana, la excarcelación y muerte de Molina,
y la fantasía de Arregui después de la sesión de tortura. En el
momento de hacer el esquema, lo que le interesaba a Puig era la
relación entre las notas y la acción principal, y las notas terminan
en el capítulo once. También es delicioso el hecho de que Puig

anote, con respecto a la doctora Taube, "ME alone!!!!" y "Nombre INVENTADO PARA DEDUCCION".

La próxima etapa en la composición de las notas es una versión mecanografiada de las primeras siete, a veces con muchas correcciones manuscritas y/o flechas que alteran el orden de los párrafos. La octava nota, que versa sobre las teorías de la doctora Taube acerca de las relaciones entre liberación sexual y revolución, existe no en versión mecanografiada sino en manuscrito, porque en ella Puig no trabajó directamente con su lista mecanografiada de citas, sino que recurrió a sus propias ideas. El manuscrito es mucho más caótico que las versiones mecanografiadas de las otras notas y se advierte que hubo una intensa reescritura de esta sección.

Roberto Echavarren, en un agudo artículo sobre *El beso de la mujer araña* publicado en 1978, apenas dos años después de la publicación de la novela, comenta las notas y se pregunta si la novela podría considerarse didáctica. Reflexiona:

> Tal vez [las notas] irriten a ciertos lectores, tal vez resulten en parte superfluas a otros. El propósito fundamental de las notas es enriquecer la visión de la homosexualidad abriendo un campo de posibilidades que rebasa las características concretas del personaje Molina (74).

Y agrega: "Quizá la mayor ventaja de las notas es la distancia que establecen entre una homosexualidad 'posible' y el 'modelo reducido' de la homosexualidad de Molina" (75). José Amícola afirma en términos semejantes que "las notas tienen la cualidad de establecer una connivencia con el lector mediante un efecto de ruptura de la ilusión que, a la manera brechtiana, permite considerar el problema desde la perspectiva de una equidistante lectura racional" (*Manuel Puig* 95), mientras Elías Miguel Muñoz las llama un "texto científico" (71). Juan Pablo Dabove ha escrito en un libro reciente sobre la novela, *La forma del destino*:

[...] los personajes viven un conflicto de naturaleza afectiva, política, sexual. Por lo mismo, desconocen las variables fundamentales que en él se articulan, las repeticiones, las comunidades históricas. El saber eminentemente libresco que las notas exhiben cumpliría la función de *distanciar* al lector de la trama, de mostrar a la luz de las diversas disciplinas constituidas aquello que los protagonistas no ven, ampliar y relativizar los términos del debate o el amor que entre ellos se suscita. (14 n.)

El problema con estas lecturas, varias de las cuales utilizan implícita o explícitamente el concepto brechtiano del *distanciamiento*, es que la perspectiva "de abajo" que abren las notas y que es suplementaria al discurso de Molina, difícilmente se pueda describir como "objetiva" o "racional" si uno las lee como si pertenecieran a un artículo o a un libro crítico. Roxana Páez favorece una lectura más rica de las notas al observar que ellas

[...] reintroducen fantasmáticamente lo que Puig reprime, el narrador, que deviene Puig mismo con una postura que no deja resquicios librados al lector. Enriquecen la narración/relación, porque la apostrofan o la contradicen. Y por momentos, de tan brechtianas, las interrupciones se vuelven cómicas (77).

También son pertinentes los comentarios de Julia Romero:

La nota de Anneli Taube, incluida en el mismo capítulo donde los personajes llegan a la consumación sexual, deja ver la ironía: el perverso polimorfo no es Molina, sino el viril Valentín (455 n.12).

Romero sugiere que el texto subvierte la jerarquía de "hombre fuerte" y "mujer débil" a través de los comentarios de Taube, la misma subversión del "texto de arriba" por el "de abajo" que he mencionado anteriormente.

Las notas en un texto ficcional, como ha afirmado Shari Benstock en un excelente artículo de 1983, tienen una dimensión diferente y, a menudo, subversiva:

Las notas a pie de página en textos ficcionales no siempre siguen las mismas pautas que la anotación en un texto crítico: pueden proveer citas, explicación,

113

elaboración o definición de un aspecto del texto (pero también pueden no hacerlo); pueden (o no) seguir normas formales; pueden (o no) subordinarse al texto en el que aparecen. Más importante, pertenecen a un universo ficcional, se nutren de un acto creador más que de un acto crítico, y se dirigen hacia la ficción y no hacia una construcción externa, aun cuando citan obras "reales" del universo fuera de la ficción particular. Lo referencia y lo marginal de estas notas sirven para una función hermenéutica específica: en la medida en que las anotaciones en textos ficcionales negocian la distancia entre escritor y lector, lo hacen en términos que difieren radicalmente de las del discurso crítico académico. (204-5)

Aunque Benstock ilustra su hipótesis con novelas de Fielding, Sterne, Joyce y Nabokov, y nunca se refiere a Puig (ni a Borges ni a Roa Bastos), sus ideas son útiles para corregir las de Echavarren, Amícola, Muñoz y Dabove, quienes dan por sentado que las notas responden a un modelo científico. El tratado sobre sexualidad y revolución que conforman las notas de *El beso de la mujer araña* se acerca más a la tradición que parodia lo científico, que conocemos por los escritos de Swift, Sterne y Borges, que a la "equidistante lectura racional" que menciona Amícola. Prueba de ello es el momento en el cual Puig se disfraza con la voz y el cuerpo femeninos de Anneli Taube. Como apunta Benstock al final de su artículo:

Las notas en obras ficcionales *no pueden* servir para los mismos fines que tienen en la tradición académica, parodian las convenciones de la notación y prestan atención a la autoridad fallida en todas estas estructuras, sobre todo las de los estudiosos. El lenguaje siempre se utiliza para expresar la autoridad y la amenaza a dicha autoridad: siempre entabla un diálogo entre el yo y el otro; siempre se vuelve en contra de sí mismo. El mero hecho de escribir amplía y socava las demandas del lenguaje. Así, las notas de pie de página en cualquier texto, sea crítico o ficcional, ilustran la paradoja retórica que pone *todo* lenguaje al margen del discurso. (220)

El cambio de sexo por el que pasa Manuel Puig al final de su tratado sobre la sexualidad (paródico, al menos parcialmente) señala que la autoridad sí puede ser cuestionada y dada vuelta, tanto en el "texto de abajo" como en el "de arriba".

[1997]

Notas

[1] "El lector no debe ignorar las notas, porque si lo hace perderá una clave importante para la comprensión de la novela" (Bacarisse 113).

[2] Sin haber tenido acceso a los manuscritos, Efraín Barradas llega a conclusiones semejantes a las mías en un artículo publicado en 1979.

[3] "Su naturaleza seudo-científica les da un aire impersonal, hasta objetivo, pero no son, claro está, ni impersonales ni objetivos. Como los movimientos de los sesenta, constituyen una demanda explícita de la libertad de la represión, una represión que se veía en ese entonces como algo que pervertía la sociedad con una masculinidad sin límites" (Bacarisse 114).

[4] Graciela Goldschluk menciona el hecho de que otros papeles demuestran que hubo una etapa anterior al ordenamiento de capítulos que aparecen en la hoja que acabo de mencionar. Al parecer, Puig alteró radicalmente la secuencia cuando decidió abrir la novela con la narración de la película *Cat People* de Jacques Tourneur. No he tenido acceso a todo el archivo de manuscritos de *El beso de la mujer araña*. Agradezco a la colega platense la noticia sobre esta etapa borrada de la composición de la novela.

Las revoluciones sexuales de 1848: deseo, lucha de clases e historia imaginaria en *Frente a un hombre armado*

El amor de un muchacho jamás es
el objeto principal del relato
Foucault

Frente a un hombre armado (Cacerías de 1848), una novela de 1981 del escritor chileno Mauricio Wacquez,[1] es algo parecido a una versión masculina gay de *Orlando*, narrada por un aristócrata francés, Juan de Warni.[2] Las imágenes centrales de cazar y ser cazado son desarrolladas sobre un amplio fondo histórico que abarca las revoluciones de 1848, la Guerra franco-prusiana y las guerras mundiales de nuestro siglo. El interés de la novela radica en la manera en como la reflexión histórica en torno a la lucha de clases, la violencia y la traición se vinculan con una indagación más íntima de la seducción y la posesión sexual.

La elección de las fallidas revoluciones de 1848 como punto de partida parece deberse al famoso comienzo de *El dieciocho Brumario de Louis Bonaparte* de Kart Marx: "Hegel observa que todos los grandes hechos y personajes históricos se repiten. Olvidó añadir: la primera vez como tragedia, la segunda como farsa" (Tucker 594). Wacquez relaciona las revoluciones de 1848 con la Revolución francesa de 1789, aunque presenta los eventos del 48 como pretextos para la venganza de los aristócratas (88-89). El narrador, Juan de Warni, y el misterioso Príncipe a quien sirve en la segunda mitad del libro son sodomitas y estetas[3] que gustan de

117

muchachos de las clases bajas. El romance[4] central en la novela (como en *Lady Chatterley's Lover* y *Maurice*) se da entre desiguales: Juan de Warni se involucra con Alexandre, un joven campesino que es uno de sus asistentes durante sus salidas de cacería. De acuerdo con el narrador:

> Como la guerra, la caza tiene un fin simple y trágico: la muerte de la presa. Ser sodomizado, en cambio, se emparenta con ambas actividades pero como en una paradoja. El remedo de la muerte se parece al encuentro entre lo lleno y lo vacío, un compendio de contrarios en el que la muerte es buscada como anhelo de ser y no como necesidad. En la cópula violenta, las mucosas se dilatan, ajustándose a una perfecta realidad, pues el espacio cóncavo nunca sobrepasa su extensión más allá de lo que el convexo requiere (97-98).

El vínculo entre el deseo y la muerte (tan elocuentemente explorado por Bataille) se amplía aún más en este texto en una explicación suministrada por un segundo narrador no identificado y no del todo convincente, quien informa al lector que la mayor parte de la novela ocurre en la mente de Juan de Warni en el instante después de que Alexandre le ha disparado (249). Si esto es cierto, Juan muere en el momento en que por vez primera se ve traspasado por el deseo y el resto de la narración es una proyección utópica o distópica hacia un futuro en el que el deseo se satisface repetidamente, con todas las permutaciones y combinaciones permisibles en la literatura erótica. Si esta información, en cambio, es falsa, se trataría de un gesto castrador por parte de un censor puritano, quien de todas maneras llega demasiado tarde para frustrar el placer del lector, aunque la interrupción pueda provocar reflexión y culpa. De cualquier manera, importa señalar aquí que la novela erotiza la muerte y crea un fuerte vínculo entre violencia y deseo. La metáfora de la caza que surca el texto (aun en las últimas secuencias, cuando ya el antiguo orden aristocrático se ha desmoronado y Juan de Warni se ha convertido en un fiero y solícito mercenario) ofrece una visión que liga inextricablemente el deseo homosexual a la explotación y a la muerte.[5] En este sentido, la novela difícilmente pueda esgrimirse como un ejemplo no problemático de ficción gay, sin embargo, son precisamente los aspectos de trastorno o de inestabilidad que hay en ella los que exigen una mayor atención.[6]

En el cuarto capítulo, por ejemplo, luego de una amplia descripción del cuerpo de Alexandre que se detiene extensamente en el pene del campesino (la única parte de su cuerpo que, según Juan de Warni, no guarda proporción con los ideales clásicos de la belleza física), se lee:

> [...] este tipo de juego limita muchas veces con la violencia, por aquello que vacía de contenidos la conciencia y no muestra sino el objeto deseado [...]. Todo se borra y no existe más que lo que se desea. Y no lo digo por mí, a quien la contención y la astucia me permitían regular hasta los menores detalles del entusiasmo, sino por Alexandre. Un día inclusive tuve que azotarlo con la fusta para que volviera a ver en mí a quien correspondía [...]. En este capítulo contemplativo y al mismo tiempo tembloroso del héroe enamorado, la inmovilidad lo rige todo: ese fino fluir interior del gozo. (198)

En este fragmento, los *non sequitur*, el movimiento nervioso de la narrativa, la violencia gratuita contra Alexandre, llevan a la mística descripción final del orgasmo. De modo semejante, en páginas anteriores Warni describe un encuentro con un soldado por quien "se deja sodomizar como una imagen santa" (190), una frase en que la falta de una equivalencia precisa —las imágenes de mármol y madera de los santos no son con frecuencia penetrados— evoca nuevamente una analogía simbólica entre el éxtasis místico y la penetración anal.

Como en mucha literatura erótica, aquí los preliminares a la cópula sexual son más satisfactorios que la posesión: "Juan lo contempló [a Alexandre] sin chistar, dividido por impulsos opuestos, porque bien sabía que el frágil objeto del deseo comienza a desaparecer en el momento en que se lo toca" (231). Dado que en la novela la posesión se vincula con la subyugación, el deseo existe como tal hasta que es interrumpido por el contacto físico. El verbo que se usa para describir la mirada de Juan de Warni sobre Alexandre –"contemplar"– opone la contemplación a la acción, la mirada al tacto, de un modo similar a como la imaginería religiosa ya mencionada relaciona el sexo con el éxtasis místico.

Quizá la más perturbadora de las escenas eróticas en el libro sea la que involucra a Juan de Warni, su madre y su protector, el Príncipe. La escena comienza cuando el Príncipe hace el amor con la madre de Juan, quien lleva en brazos a su niño. De repente, el Príncipe obliga al niño a practicarle una *fellatio*: "el Príncipe ha iniciado una serie de furiosos movimientos al atravesar la boca del niño, que se mueve como un pelele" (105). El Príncipe penetra al niño quien a su vez penetra a su madre; ella está tan excitada por este encadenamiento que las etapas previas del encuentro sexual le parecen no más que burdas parodias del placer (105). Que la escena sea finalmente atribuida por Warni a una pesadilla padecida por su madre (106) sólo desplaza la conmoción erótica y deja sin resolver cómo fue que Warni supo –o tal vez inventó– los sueños de su madre (106).

Hasta ahora no hemos abordado el problema de la identidad latinoamericana de esta novela. A pesar de haber sido escrita en Cataluña,[7] la mayor parte de ella se desarrolla en Francia en un período accidentado de la historia mundial hoy casi enteramente eclipsado por los cataclismos de un siglo después. La novela invita a una lectura alegórica. Obviamente los temas de represión y violencia, y las luchas entre una cultura juvenil y un rígido sistema patriarcal están presentes en ella. Sin embargo, los elementos reaccionarios –la celebración de relaciones de desigualdad y explotación entre el aristócrata y el campesino, el placer de describir actos de violencia y sexo agresivo, el claro vínculo entre el deseo y la muerte– dificultan aceptarla como un producto de la cultura de resistencia contra Pinochet.

No obstante, existe otra forma de abordar esta cuestión.

Al recordar que Wacquez vivió y trabajó en Cuba por muchos años durante la primera mitad de los setenta (Marco, 1987: 470), algunos de los elementos de la constelación comienzan a cuajar. La novela rehúsa con firmeza encasillarse en un lugar y un espacio fijos: aunque se inicia en La Rochelle hacia fines de la Segunda Guerra Mundial y retrocede a los eventos de 1848, gran parte de la acción acontece en una confusa mezcla de la guerra francoprusiana (22), las campañas coloniales francesas en Argelia (115-16), la Revolución Mexicana (108), hasta algo que parece ser el Wild West de la frontera norteamericana (68, 142).[8] Sin embargo, todos estos conflictos se ven casi desde la misma perspectiva, la del antiguo aristócrata venido a menos, ahora convertido en mercenario: ya no el elegante cazador de zorras sino el ahora pérfido y cobarde cazador de hombres. El título, *Frente a un hombre armado*, aclara que el narrador no está solo: hay un Otro sigiloso que se le contrapone, quizá su rival.[9] Aunque nunca se usan los términos explícitamente en el texto, no resulta inapropiado hablar de lucha de clases, de un nuevo orden que pugna por emerger de las cenizas del antiguo. De manera similar, no es inadecuado recordar que dos de los momentos históricos en torno a los cuales gira la novela, la Revolución de 1848 y la Guerra franco-prusiana (con su secuela, la Comuna de París de 1871) fueron cruciales en las reflexiones de Karl Marx sobre la vida pública y privada. Aquí los textos significativos son, por supuesto, *El dieciocho Brumario de Louis Bonaparte*, el *Manifiesto Comunista* y *La guerra civil en Francia*.

En *La guerra civil en Francia*, el panfleto sobre la Comuna de París de 1870-71, Marx afirma que la revolución pone al desnudo los mecanismos de poder: "Tras cada revolución que marca una fase progresiva en la lucha de clases, el carácter represivo del poder del Estado resalta en cada vez más a flor de piel" (Tucker 630). La novela no hace énfasis en el potencial emancipatorio de esta revelación sino en la naturaleza violenta del poder. De forma similar, la brillante declaración de Marx sobre la dificultad de reconocer una configuración histórica nueva –"Es generalmente el destino de las creaciones históricas completamente nuevas ser confundidas por la contraparte de las antiguas formas de vida social (aun cuando éstas ya estén muertas), con las que pueden tener cierta semejanza" (633)– puede leerse aquí negativamente, como evidencia de la imposibilidad del cambio histórico.

En *El dieciocho Brumario*, Marx escribe que "la revolución social del siglo XIX no puede nutrir su poesía del pasado, sino sólo del futuro" (597). Sobre la revolución burguesa afirma: "No hay Circe alguna que, sirviéndose de magia negra, esté distorsionando esa obra de arte, la república burguesa, en una forma monstruosa. Esa república no tiene sino el parecido de la respetabilidad" (604). Y en su descripción final de Louis Bonaparte, vuelve a utilizar un lenguaje poético, incluso religioso: "[Bonaparte] produce una verdadera anarquía en nombre del orden, mientras que al mismo tiempo despoja a toda la máquina estatal de su halo, la profana y la hace a la vez repugnante y ridícula (617)".

Warni actúa en la novela de manera muy similar al Louis Bonaparte del panfleto de Marx.[10] Intenta mantener su propio poder a toda costa y es culpable de degradar un objeto sagrado, aquí no el del poder del estado sino el del cuerpo del amante. Esta degradación se estipula en términos marxistas ortodoxos: "esos burgueses [...] eran los sepultureros de sus propios sueños" (115). El problema con la degradación del otro es que el narrador finalmente se presenta a sí mismo como mucho más "repugnante y ridículo" que como presenta al otro. El disparo que Alexandre le da a Juan Warni en 1848 –si aceptamos que tal cosa sucedió–, evidencia que Alexandre se encuentra fuera del círculo de la degradación. El derrocamiento de la clase opresora, imaginado por Marx en el manifesto de 1848, aquí se halla desplazado al rechazo violento del hermoso campesino al abrazo del amante.

El epígrafe de la novela, la apertura de la "Vendémiaire" de Apollinaire, implora: "Hommes de l'avenir, souvenez-vous de moi, / Je vivais à l'époque où finissaient les rois ".[11] La revolución burguesa está marcada por dos conflictos: el "odio entre iguales" (89) de los nuevos actores burgueses en la escena política y la lucha en curso de las clases trabajadoras. Significativamente, el término marxista "dialéctica" se emplea dos veces en la novela en contextos que sugieren la relevancia del análisis marxista para este texto. En el tercer capítulo, Juan de Warni se dirige al Príncipe (uno de los aristócratas mencionados en el poema de Apollinaire):

> Usted aprendió que el vencido debía ser el otro y que el ser fuerte tenía que alimentarse de la usura de la propia fuerza. Para usted, ejercer el mando es aplicarle a los demás la medida de una fuerza que no es infinita y que las armas no reemplazan. Por el contrario, el verdadero hombre fuerte necesita de un origen nutriente, una contrapartida en la cual la fuerza, es decir, la orden, la recibe uno mismo y cuya necesidad es la obediencia. Este es el precepto dialéctico del mando. (144)

Este análisis de la política de la cópula sexual se extiende al siguiente capítulo, en el que se recurre nuevamente a la dialéctica marxista:

> [...] todo hombre de poder [...] posee la contrapartida de su naturaleza en la seducción de la derrota [...] [Juan] no experimentó sorpresa al comprobar que, en general, las razones militares se apoyaban en la dialéctica que quiere que la fuerza sea un aspecto más de la flaqueza. (194)

La dialéctica en la novela de Wacquez es materialista y está íntimamente asociada a la lucha de clases. ¿Pero por qué se erotiza la revolución, algo anacrónico en las instancias históricas exploradas y ciertamente no una parte ortodoxa del pensamiento marxista? El término que uso en el título de este capítulo, "revolución sexual", es en realidad anacrónico si hablamos de las revoluciones de 1848. No obstante, la indeterminación temporal de gran parte de la novela permite que la leamos en relación con la rebelión juvenil de los 60 y los 70 (incluso con la revolución sexual conocida como Stonewall). Si el ejemplo cubano mostró ser demasiado rígido y puritano para Wacquez (y no puedo sino asumir que su homosexualidad estaba en juego en ese país), obviamente los movimientos juveniles de Europa y los Estados Unidos (y también de México y de Checoslovaquia) parecerían una triste repetición de las fallas de las revoluciones de 1848: el momento no había sido aprovechado, el mundo no había cambiado. En verdad, podría leerse la novela haciendo foco en el tema de la oportunidad perdida. No sorprende, entonces, esta declaración hacia el final de *Frente a un hombre armado*:

Es posible que el absurdo sea también un componente del último instante de la vida de un hombre, que así como dicen que al morir se revisa la vida pasada escena por escena, también se pueda discurrir sobre aquello que no se alcanzó a vivir, sobre lo posible, alejando con ello la nostalgia y la inquietud de la tumba. (250)

Si existe una crítica implícita de la revolución sexual burguesa en esta novela, no se ofrece alternativa a ella salvo en la erotizada lucha de clases, tan frecuentada por la industria pornográfica. Aún más, dentro de la lucha de clases parece haber pocas alternativas: sujeción del otro, sujeción por el otro, asesinato. Los encuentros sexuales se presentan desde el punto de vista de Juan de Warni y son expresiones de su obsesión por el poder. La única opción propuesta al otro, a Alexandre, es matar a su amo. Lo que resulta confuso al final de la novela es la posibilidad de que este asesinato sea otra fantasía más, controlada por Juan, otro recurso más para mantener su posición dominante. En la última de las múltiples versiones que se ofrecen de la escena de la muerte, luego de que Alexandre le ha disparado a Juan, éste logra inflingir una herida mortal a su criado. Mientras los dos, juntos, se desangran, Juan reflexiona:

[...] que la fuerza es sólo fuerza, que, fuera de la imaginación o del sueño, no puede pensarse como complemento o adorno de la delicia, que finalmente la fuerza no se propone sino como mal absoluto, ineludible, para huir del cual debí urdir un futuro en el que todos los peligros, al tiempo de amenazarlo, se vieron exorcizados. (250)

Esta conclusión es otra proyección utópica hacia el futuro; en ella, sin embargo, el sujeto continúa ejerciendo un franco control.

[1989]

Notas

[1] Otros trabajos de Wacquez son *Cinco y una ficciones* (1963), *Excesos* (1971), *Paréntesis* (Barcelona: Barral, 1975) y *Ella o el sueño de nadie* (Barcelona: Tusquets, 1983). El autor ha sido profesor de filosofía en la Universidad Nacional de Chile, la Universidad de La Habana y la Sorbona. Una excelente colección de ensayos sobre Wacquez es la que preparó Brian Dendle para *Romance Quarterly* (2001). Dendle expresa algunos desacuerdos con lo expresado en este artículo.

[2] La novela está marcada por gran número de cambios que van y vienen entre la narrativa en tercera persona focalizada a través de Juan de Warni y la voz en primera persona con la que éste narra la historia. Por ejemplo, en la página 14 hay cinco cambios de punto de vista, aunque todos son cambios de *voz* más que de *focalización*, según la terminología de Genette.

[3] Elegí estos terminos por ser apropiados para el período que enfoca la novela, la última mitad del siglo XIX, y porque los personajes son presentados como dandys y amanerados.

[4] Doris Sommer afirma que la novela es el género fundacional de la ficción en Latinoamérica durante el período de organización nacional en el siglo XIX. Esta fundación imaginaria se realiza particularmente mediante uniones heterosexuales que transgreden las barreras de raza, religión y etnia. La novela de Wacquez podría leerse en relación con esos textos fundacionales de Latinoamérica. La ambientación del texto a mediados del siglo XIX sugiere una relación irónica con *Amalia, María, Iracema* y otras novelas de la época, aunque su trasfondo sea europeo. La opción por una unión homosexual en vez de una heterosexual sugiere que la novela se propone socavar los cimientos sobre los que se ha construido una tradición literaria. Sommer, sin embargo, no explora la manera en que un romance homosexual como *Bom Crioulo* de Adolfo Caminha (1895) puede también llegar a funcionar como "ficción fundacional".

[5] Un estudio reciente sobre la pornografía violenta parece avalar el hecho de que esta asociación no es fortuita: "La caza es una actividad que se asemeja al encuentro sexual en muchos aspectos, incluyendo la persecución de la 'presa' por ambos sexos y la ambivalencia de los participantes hacia los aspectos más viscerales de la encarnación animal" (Downs 183). Downs también analiza la pornografía a la luz de las ideas de Ortega y Gasset en *Meditación de la caza* (183-84).

[6] Para distintas perspectivas sobre la literatura y la cultura masculinas gay, que incluyen estudios de lo "homosocial" y del discurso homófobo, véanse los ensayos en *Displacing Homophobia*, editado por Butters, Clum y Moon en 1988. Para una interpretación aguda de la noción de homofobia, véase Watney, *Policing Desire* (1989).

[7] La novela está dedicada a cierto "Francesc" y termina con la siguiente nota: "Calaceite, 'Laperouse', agosto de 1979" (251).

[8] Hay incluso una referencia a las bombas de napalm (130).

[9] El título se repite apenas iniciada la novela, en una aparente descripción, cuando Alexandre le dispara a Juan: "Es éste [el victimario] el que se ha puesto en nuestro lugar, él es el espejo atroz en el que observamos la labor que lleva a cabo. Frente a este hombre armado, con nuestra propia muerte, siempre he preferido dar un salto fuera del espejo" (29). Variaciones sobre la frase del título son recurrentes a lo largo del texto, siempre en referencia a la escena primordial del asesinato del protagonista en manos de Alexandre: "un enfrentamiento cuyo desenlace hubiera podido ser nuestra propia muerte" (45). Véanse también las páginas 92 y 194. Cerca del final de la novela, Alexandre usa la frase exacta cuando se enfrenta a Juan: "Estás ahí, desposeído, frente a un hombre armado con todo lo que tú y los tuyos necesitan; tú eres el instrumento de un grupo de hombres que no se atreven, como tú, a pensar lo que quieren realmente" (201).

[10] Hacia el final de la novela, se da una ardua discusión sobre la situación política en Francia en 1848, con menciones específicas en la página 222 al rey Louis Philippe, al Duque de Orleans y a Louis Napoleón (el futuro Napoleón III). Hay también una referencia al famoso cronista del período: "Lo que cuenta en León [de Warni] es su extravagante capacidad para apabullar a todo el que tiene a su lado, para llorar, arrepentirse y engañar, todas las cualidades que pueden encontrarse con más fortuna en las páginas de M. Balzac, su coterráneo" (246). Para un buen estudio de las relaciones entre los textos de Marx, Hugo y Balzac en torno al 48 francés, véase Mehlman, *Revolution and Repetition* (1977), especialmente pp. 122-24.

[11] "Hombres del porvenir, recuérdenme, vivía en la época en que finalizaban los reyes". El texto del poema en la edición Pléïade (1965: 149) carece de las comas del epígrafe de Wacquez; en verdad, como señala Rees, éste fue el primer poema de Apollinaire en ser publicado sin puntuación (177). Rees lo califica como "un himno sostenido de alabanza al universo más que una celebración particular del *moi*. El poeta está puesto aquí en el centro del mundo, como París, a la que los pueblos brindan su homenaje" (177).

Lamborghini o el relato violento

La sintomatología es siempre una cuestión del arte.

Deleuze

A treinta años de su publicación, *El fiord*, de Osvaldo Lamborghini mantiene intacto su poder para fascinar y perturbar. El lenguaje barroco, los apodos cambiantes, los repentinos saltos de registro y las situaciones narrativas inestables hacen que sea en extremo improbable resumirlo, establecer su significado o, incluso, señalar su tema. La escena inicial presenta las últimas etapas del parto de Carla Greta Terán, asistida por El Loco Rodríguez, padre del niño que nace. El Loco lleva un terrible látigo. A este cuadro violento, que continúa a lo largo de la narración, se incorporan otros actores, entre ellos el narrador y el niño recién nacido, Atilio Tancredo Vacán. El Loco fornica con Carla mientras ella da a luz; le rompe los dientes; penetra al narrador; hunde el látigo en los culos de varios otros personajes; es cagado y, finalmente, matado a balazos por el narrador. Alrededor del Loco –quien domina la escena entera– hay otros episodios de fornicación, penetración anal con distintos objetos, masturbación y mutilación. Mientras tanto los personajes gritan los eslóganes de varias facciones políticas de los 60 –en pro y en contra de los jefes sindicales peronistas, en pro y en contra de la campaña de la derecha católica por los valores familiares y patrióticos, en pro y en contra de la revolución armada–. El texto acaba con el asesinato del Loco, la emisión de varios eslóganes en un cartel luminoso y la salida de los personajes del cuarto donde ha acontecido todo, para unirse a una manifestación en la calle.

Ninguna sinopsis, sin embargo, puede hacer justicia a la intensidad y la complejidad del texto. Por ejemplo, el título, *El fiord*, aparece dos veces, cuando la mujer y la hija del narrador irrumpen mirando intensamente los barcos que suben y bajan el fiord. ¿Qué fiord? ¿Qué barcos? El resto del texto transcurre en espacios interiores y, aunque no se ofrece ninguna ubicación precisa, parecería tratarse de Buenos Aires. Sin embargo, por un momento la acción salta abruptamente a Tierra del Fuego o a Noruega. Igualmente imprevista es la aparición de la voz de Perón pronunciando un discurso. ¿Una de esas grabaciones que circulaban entre sus seguidores durante las dos décadas de su exilio? ¿O un regreso imaginario a un período anterior a la llamada "Revolución Libertadora" de 1955? Cualquier busca de coherencia en el texto parece condenada al fracaso.

Esta novela corta se escribió en 1966-67 y se publicó en 1969 en un libro delgado que también incluía un ensayo crítico de Germán García quien, bajo el seudónimo de Leopoldo Fernández, analizaba el texto en clave lacaniana. Éste fue un período intenso de actividad política y cultural en la Argentina, donde coincidieron el intento del general Onganía por fraguar un estado fascista corporativista y la resistencia a esta tentativa por parte de diversos sectores de la sociedad. *El fiord*, de algún modo, es la narrativa paradigmática de ese momento, entre otras cosas por su juego inagotable con las variantes de la transgresión sexual. En este capítulo quiero reflexionar sobre el carácter transgresor de este texto de los años sesenta y sobre su misterioso estatuto canónico en la Argentina de hoy.

Primero, la cuestión de la violencia. Todos sabemos lo que pasó en la Argentina en los años posteriores a la escritura de *El fiord*. Ha habido gran cantidad de investigación sobre las técnicas de tortura utilizadas por las fuerzas paramilitares, los debates ideológicos en la izquierda revolucionaria, las campañas heroicas por los derechos humanos y la vida hecha añicos de los sobrevivientes. Este período también ha sido tratado en docenas de películas, novelas y otras obras artísticas. ¿Qué hacer, entonces, con un texto que comienza con la violación de una mujer que lucha por dar a luz, violación perpetrada por el padre del niño, quien a la vez la castiga con un látigo y le rompe los dientes, y todo esto en función de la diversión y el regocijo del narrador y los espectadores? Sería de esperar que un texto de esta naturaleza –no importa el éxito que pueda haber tenido en su momento, por su carácter transgresor– hubiera sido olvidado de modo sistemático como consecuencia de una calamidad nacional por la cual esta clase de eventos se convirtió en algo casi cotidiano. Pero no. César Aira, en su introducción a la edición de 1988 de las novelas y cuentos de Lamborghini, habla de *El fiord* como el texto fundacional de un mito literario (7) y afirma que la reacción inevitable de un lector ante ésta o cualquier otra de las obras de Lamborghini es: "¿cómo se puede escribir tan bien?" (8). Si bien es innegable que este texto tiene un poder extraordinariamente seductor, no quisiera yo limitar su impacto a un plano puramente estético.

La crueldad de la primera obra narrativa de Lamborghini es *espectacular* en el sentido preciso de ese término –consciente de sí misma y convertida en espectáculo–. Hay tantos elementos excesivos –los eslóganes políticos, la escena nebulosa del fiord, la ruptura del lenguaje por el personaje autista Sebastián–, que las escenas violentas parecen significar demasiado. Podríamos pensar que estamos en presencia de un tipo inédito de "ficción fundacional", si usamos el término que Doris Sommer emplea para referirse a los nuevos relatos nacionales en las repúblicas latinoamericanas recién independizadas en el siglo diecinueve. Esta ficción nacional es de una crueldad espectacular, donde los que golpean se preguntan hasta donde podrán llegar, se excitan con las miradas de los espectadores y de las víctimas, son conscientes de que participan en una especie de teatro político.

Segundo, la naturaleza transgresora del texto. La transgresión se organiza según dos ejes: la sexualidad y la clase. No cabe aquí la cuestión de establecer una identidad sexual, ya sea hetero u homosexual. En su lugar, a lo largo del relato todos hacen lo imaginable y lo inimaginable sobre el cuerpo de todos los demás. El Loco Rodríguez mantiene su papel activo sádico hasta el momento en que está a punto de castigar al narrador, quien responde cagándolo tres veces y copiosamente (aunque, incluso hacia el fin del texto, el narrador, Carla Greta Terán y Sebastián siguen reaccionando frente al Loco como víctimas más que como iguales). Lamborghini parece atacar la idea de que los individuos se limiten en sus actividades sexuales. Todo es posible. Los personajes se obsesionan con mitos del proletariado –de hecho, un personaje principal en relatos posteriores de Lamborghini es "el niño proletario"– pero la mayor parte de las referencias políticas tienen más que ver con la militancia estudiantil que con la sindical. El peronismo de izquierda provee el marco para el intelectual castigado y cogido por una figura del proletariado, pero el porqué del encanto de este desenlace es más enigmático y esquivo. El texto no dice cómo los personajes llegaron al lugar donde están, pero sí los muestra, gozosos, allí.

La mujer del narrador aparece hacia el final del texto llevando sus propios pies que, amputados a la altura de los tobillos, le sangran a borbotones. En medio de la escena hay interpolaciones en *off* de la voz de Perón:

Ella me mostró sus tobillos: dos muñones sangrantes. Ella transportaba en la mano derecha sus pies aserrados. Y me los ofrendaba a mí, a mí, que sólo me atrevía a mirarlos de reojo. Que no podía aceptarlos ni escupir sobre ellos. Que ahora miraba nuevamente hacia el fiord y veía, allá, sobre las tranquilas aguas, tranquilas y oscuras, estallar pequeños soles crepusculares entre nubes de gases, unos tras otros. Y hoces, además, desligadas eterna o momentáneamente de sus respectivos martillos, y fragmentos de burdas svásticas de alquitrán: Dios Patria Hogar; y una sonora muchedumbre –en ella yo podía distinguir con absoluto rigor el rostro de cada uno de nosotros– penetrando con banderas en la ortopédica sonrisa del Viejo Perón. No sabemos bien qué ocurrió después de Huerta Grande.

Ocurrió. Vacío y punto nodal de todas las fuerzas contrarias en tensión. Ocurrió. La acción –romper– debe continuar. Y sólo engendrará acción. Mi mujer me ofrece sus pies, que manan sangre, y yo los miro. Me pregunto si yo figuro en el gran libro de los verdugos y ella en el de las víctimas. O si es al revés. O si los dos estamos inscriptos en ambos libros. Verdugos y verdugueados. (*El fiord* 26-27)

La proliferación de elementos en un pasaje como éste es tan extraordinaria que desconcierta y casi logra silenciar al crítico. ¿Qué hace Perón aquí? ¿Qué tipo de acción proclama? ¿Qué espera la mujer que haga el narrador? ¿Por qué apenas la mira? ¿Por qué no hace nada? ¿Por qué la meditación final sobre los papeles que juegan?

Obsceno. Tanto intelectualizar en torno a cuerpos mutilados es obsceno. El placer obtenido es obsceno. El autor ha de ser un perverso; el lector será otro loco.

Pero no. Aira –amigo y albacea, si no verdugo– le asegura al lector que Lamborghini no era así para nada. Fue un hombre respetuoso, cortés, un santo, una especie de caballero de otra época –como Borges, de hecho, según Aira (16)–. ¿Como Borges? Era "venerado por sus amigos, amado (con una constancia que ya parece no existir) por las mujeres, y respetado en general como el más grande escritor argentino" (16). ¿Cómo? Pero entonces, ¿quién habla más tarde en "Sebregondi se excede", un texto póstumo de Lamborghini aparecido en *Novelas y cuentos*, que recopila y prologa Aira? En él se lee:

Después del 24 de marzo de 1976, ocurrió. Ocurrió, como en *El fiord*. Ocurrió. Pero ya había ocurrido en pleno fiord. El 24 de marzo de 1976, yo, que era loco, homosexual, marxista, drogadicto y alcohólico, me volví loco, homosexual, marxista, drogadicto y alcohólico. (*Novelas y cuentos* 100)

La fecha es la del golpe. La voz es la del autor. La vida imita el arte.

[1993]

Fuegos fatuos: poesía gay y mercado en obras recientes de Jaime Bayly y Nelson Simón

A la sombra de los muchachos en flor (Premio UNEAC 2000, Ediciones Unión 2001) de Nelson Simón y *Aquí no hay poesía* (Alfaguara, 2002) de Jaime Bayly son buenos ejemplos de un fenómeno bastante reciente en América Latina: poemarios que circulan y se publicitan por su temática gay.[1] No es sorprendente que Bayly, conocido locutor de televisión y autor de varias novelas *bestsellers*, se venda de esta manera. Sin embargo, este fenómeno no es específico de los mercados capitalistas sino que alcanza a la Cuba socialista, supuestamente al resguardo de las inclemencias del marketing. El mismo año que Simón ganó el premio de poesía de la UNEAC con *A la sombra de los muchachos en flor*, Jorge Ángel Pérez obtuvo el premio de novela de la misma institución con *El paseante Cándido*, también de tema homoerótico (al menos parcialmente). Lejos de una coincidencia fortuita, éste parece ser un indicio de que las editoriales cubanas, a pesar de no estar sujetas a las exigencias de ventas, se ajustan a una estrategia discursiva que no es privativa del mercado.

El título del poemario de Simón remite a Proust, a la tribu lesbiana en que participa Albertine. En *Á l'ombre des jeunes filles à fleurs*, el encuentro del narrador con esa tribu inaugura la serie de secuencias de temática homosexual, crucial en los últimos tomos de la obra. Algunos poemas de Simón muestran fuertes resabios de Kavafis o exhiben epígrafes de Villena y de Ballagas (cuya presencia es notoria, además, en varios sonetos que analizaré en este trabajo). Mediante el uso recurrente de estas alusiones, el poeta ostenta el valor que asigna a la tradición homosexual en la literatura moderna y busca inscribirse en ella.[2]

La primera sección del libro contiene dieciséis poemas en verso libre que llevan números como títulos. Al final del primero, el hablante lírico, un hombre a punto de dejar la isla, dice:

> ...que nuestros ojos guarden,
> como en viejos retratos, ese instante
> donde mi cuerpo es breve hilo de agua
> que transcurre y se agota bajo el puente de tus piernas.
>
> Hoy,
> quiero abrazarme a ti, sumergirme como el grumete
> aferrado al mástil de su barco y que mis labios
> —amarga almeja— descansen y apaguen su temblor
> sobre la movediza arena de los tuyos. (9)

Estos versos, penosos de tan obvios, provocan risa, una reacción difícilmente deseada por su autor. El énfasis excesivo los vuelve ridículos, abriendo así un surco de poesía *kitsch* en el libro. En unos pocos versos, los cuerpos de los amantes se convierten en mástiles, en almejas, en arena movediza. Este repertorio marino marea más de lo que seduce.

El poeta se solaza en variar los escenarios de las experiencias eróticas que refiere; éstas ocurren, por ejemplo, en descampados cubanos y españoles ("Muy cerca un sexo se levanta victorioso, reclama mi atención" [76]) y no desdeñan la oportuna ambientación que ofrecen los bares "leather" europeos ("Me provocaba náuseas aquella orgía,/ aquel sonar de mandíbulas que, en círculos concéntricos,/ se ensanchaba a mi alrededor" [62]). No menos diverso es el origen de los amantes; así, por ejemplo, con ardor marcial el poeta rememora al amante francés ("Viril/ su mano se aferraba a la mía, con la fuerza/ con que la enervada mano del guerrero/ sostiene la empuñadura de su lanza" [69]); y con metáforas lunares y sentimentales, al cubano ("Tus nalgas/ son dos lunas que emergen de mi espalda" [47]). El poeta va en busca del tiempo perdido: "Dejo que me acaricie y me posea,/ que como tibio y doloroso semen fluyan por mí/ esas imágenes que me devuelvan todo lo perdido" (55). Su mirada acaricia a los jóvenes que ve en la calle: "Su juventud de tigre me agredía,/ sus pechos como cúpulas doraban/ la sombra, en que mis ojos convidaban/ a suicidarme en su melancolía" (78). Y recuerda, con febril anhelo, los momentos de pasión: "Cierro los ojos/ y no hay en mi interior más paisaje/ que aquel joven: la rosa de su carne, rotunda,/ estremecida, fértil en sus espasmos" (81). En esta serie de citas se advierten varios rasgos comunes: se varían los escenarios pero no la acción, las mismas ideas se reiteran a través de las distintas metáforas, y la sutileza brilla por su ausencia. El carácter excesivo de la poesía de Simón se debe a la proliferación y repetición de lugares comunes.

Ostensiblemente el libro busca el escándalo. Uno de los sonetos del libro exhorta:

Pon tu sexo en mi boca, crucifijo
que con sed penitente besaría;
y pon también esa melancolía
de la oscura tetilla que cobijo,

que ensaliva en silencio y luego lijo,
que mi lengua gustosa gastaría.
(Asetea mi carne con tu porfía
y al centro de mi cuerpo queda fijo).

Vierte en mi vientre el néctar blanquecino
que a borbotones brota de tu fuente
hasta llenar la copa de mi ombligo:

> ¡Que tu fiebre y olor queden conmigo,
> sean la mancha dulce y más caliente,
> la brújula que apunta a mi destino! (66)

En este poema, similar a varios otros de la colección, los límites formales del soneto y del endecasílabo, y ciertas metáforas "poéticas" (crucifijo, néctar, copa, brújula) contrastan brutalmente con el sexo oral y la penetración. La búsqueda de esa incongruencia es manifiesta; la felicidad poética de esa elección resulta, en mi opinión, menos cierta. (O será, tal vez, que mi "lengua gustosa" no logra "ensalivar" bien el soneto).

En la contratapa del libro se sostiene que este poemario "explora zonas de erotismo casi inéditas en la más reciente poesía cubana". Este juicio es inexacto, ya que hay muchos otros poetas jóvenes que indagan la temática homosexual en Cuba, por ejemplo, entre los más destacados, Norge Espinosa, José Félix León, Juan Carlos Valls, Damaris Calderón, Félix Lizárraga y Alessandra Molina. La nota de contratapa sigue: "El autor realiza un misterioso estudio del deseo y el placer sin restarle lugar a las preocupaciones latentes en sus anteriores libros: la insularidad, el destino de la nación, la defensa de la individualidad humana en un entorno social no siempre favorable". No es difícil detectar una operación editorial que busca vincular *A la sombra de los muchachos en flor* con tópicos "serios" de los estudios cubanos como el destino de la nación y la insularidad (tema, por otra parte, del reconocido poema "La isla en peso" de Virgilio Piñera). De forma implícita, al celebrar la lucha de "la individualidad humana en un entorno social no siempre favorable", el paratexto señala y aspira a enmendar, retrospectivamente, uno de los "errores" más conspicuos de la Revolución Cubana, la represión de la homosexualidad a fines de los años sesenta y comienzo de los setenta, cuyos hitos fueron los campos de la UMAP y el Segundo Congreso de Educación y Cultura.[3] Es en ese contexto revisionista que adquiere mayor significación la coincidencia de los premios UNEAC otorgados a Simón en poesía y a Jorge Ángel Pérez en novela.

Menos ambicioso en términos poéticos, Baily propone una poesía *lite*, que no requiera del lector lego un esfuerzo que termine por ahuyentarlo. Este propósito se promociona, también, en la nota de la contratapa:

> Este no es un libro convencional de poesía... Jaime Bayly no es un poeta ni trata de serlo. No pretende mostrarse como un virtuoso o un iluminado; prescinde de las metáforas y las florituras; renuncia a la frase grandilocuente. Con un lenguaje sencillísimo, construye un universo personal tan rico como impredecible, y lo hace con palabras recogidas de sus propios escombros, de sus miedos y agonías, de sus fracasos y mentiras, de las grotescas imperfecciones que encuentra en sí mismo, en su vida atormentada.
>
> Son poemas que cuentan de una manera explícita episodios autobiográficos (ya familiares al lector de las novelas de Baily): su matrimonio con Sandra, su amor por sus hijas Camila (Cami) y Paoli, su separación después de múltiples aventuras con hombres, los conflictos con sus padres, sus problemas con la droga, su carrera televisiva, su fama de escritor transgresor.[4]

Motivos fundamentales de este libro de Bayly son el desasosiego ("queriendo ser quien no soy" [73]) y la tal vez injustificada convicción de que la inmortalidad literaria lo salvará de las tribulaciones que lo asedian. Mientras que de otro hombre el poeta asevera que "decía ser bisexual / cosa que por cierto no le creí" (102), para hablar de sí mismo (en un poema en tercera persona) opta por afirmaciones más esquivas: que preferiría "ignorar su identidad sexual" (106), que quisiera "ser algún día un hombre normal" (150), que, al fin y al cabo, él no es sino "el joven paseandero y dormilón/ que sale en la tele y escribe libros raros" (184). Su poema "confesión" enumera:

he deseado a mi mejor amigo
he sido un cobarde
he dormido en el calabozo
he vomitado en la casa de un ministro
he mirado celebridades desnudas
he coqueteado con el peluquero
he sido mal hijo y mal esposo
he tenido malos pensamientos
me he masturbado como un demente (124)

Para rematar con un pastiche de Borges: "confieso que he pecado/ y he sido feliz" (124). Hay una intención indisimulada por parte de Bayly de exhibirse como un *enfant terrible*, irreverente ante los valores ligados a la familia, la hombría, el estado y la sociedad. En este sentido su confesión no es sino un decálogo del perfecto poeta maldito. Esta pose exacerbada se repite en otros poemas del libro y merece una mayor revisión crítica.

"Bajo la cama", una pieza representativa del conjunto, se inicia:

ernesto tiene diecinueve años
hace poco le dijo a su padre
quiero que sepas que me gustan los hombres
su padre guardó silencio
luego dijo bueno estupendo
te envidio
porque a mí las mujeres
me han hecho la vida imposible
y siempre pensé
que ser gay
debe de ser cojonudo (179)

Luego explica que él —Jaime Bayly, el autor— tiene la meritoria "culpa" de esa revelación y ese descubrimiento:

yo tengo la culpa de todo
pues su madre encontró escondidos
bajo la cama de ernesto en bogotá
dos libros míos
muy gays y a mucha honra

> que casi le causan un desmayo
> y ahora él piensa
> que no debió esconderlos
> y yo le doy la razón (179-80)

En rigor, el hablante lírico le da algo más que la razón: "lo conocí un domingo/ en la feria del libro/ al final se acercó/ y no dudé en darle mi e-mail" (180). Un contacto que no tarde en concretarse:

> ernesto está en mi casa
> jeans/suéter negro/zapatillas gastadas
> miro sus labios/sus manos
> no sé bien qué decirle
> le doy un beso en la mejilla
> nos abrazamos
> al día siguiente viaja a boston
> alcanzo a decirle al oído
> no escondas mis libros ernesto
> no escondas nada
> no te escondas más (181)

Claro que ese "no te escondas más" suena bastante falso en Bayly, que habrá escrito libros "muy gays y a mucha honra" pero que no ha declarado nunca su homosexualidad, desde la solapa de la primera novela que aclaraba que vivía con su mujer y sus dos hijas, a este poemario en el que vuelve a recalcar su amor —fracasado pero vivo— por su mujer, y a enfatizar que sus hijas son el centro de su vida. Al escudarse en el rol de *pater familias*, Bayly hace todo lo contrario de lo que solicita de Ernesto en el poema, a la vez que juega de un modo ligero con las consignas de la declaración pública, el *coming out*, que hemos heredado de Harvey Milk.

Desde ya, no quiero sugerir en este ensayo que no pueda haber poesía gay en la actualidad, sino que estos dos escritores se han precipitado a poner en circulación poemarios nonatos y que las editoriales han procurado explotar su lado escandaloso para promocionar su venta. Como recuerda Borges que escribió Groussac, estas obras sólo "causan impresión" en las casas editoras.

Pero otros son los afanes literarios de los dos poetas. En "un favor" Bayly suplica:

> ódiame
> critícame
> insúltame
> pégame
> despréciame
> jódeme
> fastídiame
> irrítame
> humíllame
> escúpeme
> flagélame
> traicióname
> olvídame
> pero por favor
> no dejes de leerme (201)

Asimismo, el libro termina con un poema llamado "curriculum vitae", en el que leemos: "seguí escribiendo/ y alguna vez me sentí el escritor/ que soñé ser/ aquel invierno en madrid" (210). Aquí se está jugando con uno de los grandes mitos románticos del artista y de la figura del escritor: de alguien que forja una imagen exaltada y prestigiosa de sí mismo, que se quiere complementada por una fama literaria que lo justifique. Nelson Simón también recurre a una operación similar. Cierra su libro con un poema titulado "Líneas de ceniza", que tampoco esconde sus ambiciones de *curriculum vitae*: "Siento que mi vida es una caja de cerillas/ que se agota. Las palabras no logran convencerme" (88). Termina:

> De cada cerilla que encendí y gasté con levedad,
> sólo quedan pequeños cabos negros
> amontonados a mis pies, líneas de cenizas
> que nada dirán de la pasión
> con que fueron consumidas:

> El fuego que me ha devorado
> es el mismo que hoy sigue fascinándome. (90-91)

Los versos de Simón, esas "líneas de ceniza", quieren ser los restos del fuego que lo abrasa; por su propensión al ridículo, sin embargo, amenazan con extinguirlo. Se dice de Emilio Ballagas que enterró en el mar la edición completa de un poemario donde su verso "tengo un fuego atroz que me devora", por malicia, desliz o error de imprenta, quedó transformado en "tengo un fuego atrás que me devora"; acaso estos dos poemarios merezcan similar destino, única manera de apagar sus fuegos fatuos.

[2002]

Notas

[1] Ver Balderston y Quiroga (2002) para un examen de la circulación de la literatura gay en Estados Unidos en las publicaciones de Gay Sunshine Press en los 70 y los 80.

[2] Sobre la idea de "tradición homosexual literaria", ver Martin (1979), Yingling (1990) y Balderston (1999).

[3] Para un buen análisis de la relación entre la película *Fresa y chocolate* y la historia de la represión en contra de los homosexuales en la Cuba revolucionaria, ver Quiroga (2000).

[4] Quiroga ha estudiado la obra novelística de Bayly en un artículo todavía inédito.

Esdras Parra o la poesía del transgénero

Este suelo secreto: Poemas 1992-1993 es la meditación, extraordinaria en la literatura hispanoamericana, sobre la experiencia de cambiar de sexo. Esdras Parra, que comenzó su carrera como cuentista (varón), reflexiona en este poemario sobre su transformación en poeta (hembra). En el poemario, el tú a quien se dirige la voz poética es la poeta en persona:

> No te des por satisfecha
> de tus contradicciones semanales
> ni del diamante
> que encontraste
> entre las páginas de tu propia vida
> vida no tendrás
> antes de morir
> aunque las piernas te tiemblen
> o te rebeles contra tu destino. (30)

El primer verso de este poema es revelador. En él irrumpe el género gramatical femenino y, a la vez, el tema de la insatisfacción y la necesidad del inconformismo. En el primer verso se construye así una enunciación inestable, que habrá de tener corolarios inquietantes en cuanto a cuestiones de género sexual. La negación y la incertidumbre reaparecen en este otro poema:

> En esa encrucijada
> que es tu vida
> donde los caminos no tienen nombre
> y los pasos se miden hacia adentro
> como si buscaran sus orígenes
> no hay océanos secretos
> ni amaneceres bajo el puño
> sólo la espera sin fondo
> y el espesor de la soledad. (32)

En este capítulo voy a explorar esa encrucijada sin nombres, esa escritura que es a una indagación poética incesante y a la vez elocuente de la experiencia del transgénero. Éste es un territorio inusitado en la poesía en lengua española, que ha sido explorado en cambio en libros de memoria, sobre todo, en la tradición anglosajona.[1]

Los poemas de Esdras Parra testimonian un viaje interior. Este tópico se reitera con insistencia en sus versos. Aparece en las referencias al pasaje entre anverso y reverso: "La palabra que señala tu enigma/ está escrita en el reverso de los sueños" (35). O bajo la forma de un *regressus ad uterum*: "el cordón umbilical/ que te ata al recuerdo/ a donde viajas/ cada vez que te ausentas de ti" (34). El mundo del inconsciente (el sueño) conecta al yo poético con su pasado masculino como si fueran distintas escalas de un itinerario. El viaje interior, ese constante repliegue sobre la contradicción y la escisión de sí, se liga, en el caso de Esdras Parra, al pasaje implícito en su cirugía de cambio de sexo. El poemario en su conjunto puede (solicita, tal vez) ser leído en clave autobiográfica. A mediados de los 90, la operación de la poeta era un tema de discusión; ella misma, inclusive, escribió notas en *El Nacional* sobre su experiencia. Al lector de Parra, entonces, no se le escapan las alusiones de estos versos:

144

Esa oscura cicatriz
absorta en tu camino
residuo de la fiesta
después de desollada la manzana
ese atajo de silencio
abandonado por el ciclo
plegado sobre sus rodillas
inmune a todo contagio
por donde se vislumbra
la sombra del plátano
están detrás de ti
y dan su fruto. (47)

Abundan los participios pasados –desollado, abandonado, plegado– que evocan un período concluido, cuya memoria reside sin embargo en el cuerpo. La cicatriz –marca de un pasado– obliga al lector a pensar en la cirugía y reconstruir la historia de la autora.

Víctor Bravo, en una reseña de *Antigüedad del frío* (el siguiente libro de Parra) publicada en *El Nacional* en el 2000, escribe:

Nacida en Santa Cruz de Mora, del estado Mérida, Esdras Parra se dio a conocer en la década del sesenta como narradora, con tres libros que son hoy referencia de la mejor narrativa del país. ... Después de esta irrupción –tres libros en dos años– la narradora hace silencio y Esdras Parra despliega una intensa actividad de traductora, de crítica cinematográfica y, fundamentalmente, de editora, como miembro fundador y coordinadora por varios años de la revista *Imagen*. En 1993 obtiene el Primer Premio de Poesía de la II Bienal Mariano Picón Salas, con *Este suelo secreto*, que se publicara en 1995, bajo el sello de Monte Avila, dando a conocer una poeta que, como Palas Atenea, nacía con todas sus armaduras desde el primer verso. *Este suelo secreto* ha significado un momento estelar en la poesía venezolana del siglo XX: la confluencia de la creación y perfección, en un implacable despojamiento retórico, la conjunción de la vida como transparencia y enigma, la intuición profunda y sorprendente del hallazgo poético. (Versión online sin paginación)

Esta breve noticia biográfica naturaliza la experiencia inusual de Parra, al pasar por alto que, del paso de "narradora" (el que escribió los cuentos era más bien "narrador") a "poeta", hubo más que un largo silencio. La abundante producción periodística escrita durante ese lapso difícilmente pueda caracterizarse como un período silencioso. Si bien Bravo celebra en *Este suelo secreto* la aparición de una nueva poeta, omite una explicación clara del camino atravesado por Parra para llegar a esa poesía.

El examen de este itinerario tal vez deba remontarse a "Por el norte el mar de las Antillas", un cuento incluido en *Juego limpio* de 1968. La ambigüedad sexual –y el desasosiego por resolverla– es el centro mismo sobre el que gira el relato. En ese cuento, hay una secuencia de triángulos amorosos esquivos. El narrador (o la narradora) observa a Luis y a su novia, Ana, como "ese bloque, esa muralla impenetrable de los amantes que lo aísla" (94). Si ese aislamiento parece ser generado por las identidades genéricas bien definidas de los amantes, la voz narrativa teme ser descubierta en su rareza. La "rareza" también está presente en el desconcierto que siente Ana mientras Luis la desviste sin sentir deseo, en la perplejidad con la que la chica observa el flirteo de su novio con varios hombres y en el alivio que sobreviene a uno de esos hombres (Alejandro) al saberse objeto del deseo de Luis y Ana. Focalizado desde la perspectiva de Alejandro, el relato termina:

> Alejandro no sabía por dónde empezar porque ahora percibía el sentido eróti-co de la risa, el flujo lascivo de la hilaridad que creaba la alianza, al fin los dos se entendían, y ella vencía el tedio de Luis ¡qué bien! otra vez se iniciaba la infinita comedia del amor, y Alejandro trataba de fingir, de no pensar en la otra provoca-ción carnavalesca de que había sido objeto en la playa. Y ahora sabía cuál era el comienzo, mucho antes de la llegada de Rufo, mucho antes, mucho antes. (105)

A pesar del carácter acentuadamente polimórfico de las situaciones eróticas en este cuento, hay un deseo de fijar o borrar las ambigüedades. "¡Lo han descubierto! Han descubierto la imposibilidad de ser él" (93) –piensa el narrador al sentirse objeto de deseo o de lástima de Luis. Rufo está "ataviado como una mucha-chita" (94). En la playa, Alejandro se siente mirado por Luis: "Hoy siente la misma transformación del vacío, la dulzura, la alarma, la suave terquedad del amor sostenida contra el desgano" (97).

Un camarero (árabe) seduce a Luis y "se estremece ante la mirada de un joven que se diferencia de los otros" (99). Y continúa: "Se ha propuesto en última instancia ser fiel a su propia imagen, no a la idea que sobre él se han hecho los demás, pero no olvida que los otros trascienden en él... Él es el otro" (100).

En este cuento hay un flujo incesante –o por lo menos inestable– de identidades, y a la vez una sensación paradójica de identidades fijadas socialmente de modo absoluto o trascendental. Las historias de deseo homo y heterosexual se entretejen; sin embargo, hay un fuerte deseo de permanecer "fiel a su propia imagen", por agrietada y extraña que ésta sea.

Al decidir transformarse en mujer, Esdras Parra quiso fijarse a sí misma, pero ha confesado públicamente su desengaño o frustración. Esa imposibilidad de la identidad sexual es el nudo de *Este suelo secreto*, un poemario en el que el cuerpo es un espacio de conflicto, escisión y perplejidad.

Bernice Hausman ha notado en *Changing Sex* que, a diferencia de la identidad performativa, que Judith Butler define como el mecanismo de la constitución de la identidad sexual, los/las transexuales han tendido a buscar narraciones de identidad fija. Analiza una serie de autobiografías de transexuales y nota en ellas la afirmación de una identidad descubierta y revelada. A diferencia de esta tendencia, en la obra reciente de Esdras Parra resalta la frustración que provoca esa ansiedad de fijación. Un poema publicado en *El Nacional* hace hincapié en ese fracaso ulterior:

> Son mis pasos que se dirigen a mi sombra
> o es mi sombra que camina hacia mis pasos
> he sido atada a esa sombra por el fuego del día
> he visto el fulgor de ese día sin sombra
> como si te perdieras entre mis brazos o mis
> brazos te dejaran caer
> he visto esa sombra victoriosa
> erguirse al comienzo de la noche
> la veo inmóvil envuelta en su humo negro
> como libre de toda esperanza. (online, 1997)

A diferencia de los autobiógrafos transexuales que estudia Hausman, cuyas obras son "cerradas" y "resisten lecturas abiertas e interpretaciones múltiples", la escritura de Esdras Parra, tanto los cuentos antes como, en mayor medida, los poemas después de la operación, son textos ambiguos que no expresan identidades fijas. Al cambiar de género literario y de género sexual, Parra no deja de experimentar la identidad como una imposibilidad. Lejos de toda autocomplaciente ratificación, el yo se vive como una pérdida:

> Un día que te olvidaste de tu cuerpo
> esa imagen de niño
> con lenguaje de aprendiz
> te olvidaste del orgullo
> más cercano a la trampa
> que no quería nada del asunto
> durante sus tertulias
> y te olvidaste de lo que
> endurecía tu cáscara
> que cada tanto tiempo
> cambiaba de dureza
> o se entregaba a sus excesos
> con suficiente furor. (75)

Este poema, en el que las sensaciones que provoca el cambio de sexo son elocuentes, podría leerse –siguiendo ideas de Lacan– como un poema sobre la carencia del falo; sólo que en este caso, en rigor, se trata de la pérdida del pene.

En *Este suelo secreto* domina la negación, usada como estrategia para hablar de elementos de una vida que se resisten a quedar relegados al pasado, que no se superan y que sirven, en cambio, para socavar la seguridad de una identidad fija. Esdras Parra recurre obstinadamente a la negación para cifrar, en breves y sorprendentes fórmulas, su insatisfacción vital:

No has dormido sobre el lado
que te pertenece. (194)

Aunque tu morada
no tuvo lugar. (196)

Pero ante ti
no hay profundidad ni altura
ni un pasado secreto. (178)

De ahí que el fin del poemario sea, justamente, la negación de la posibilidad de concluir: "Con el esfuerzo de la palabra/ que nunca tiene fin" (204). La poeta deja inconclusa la secuencia; esa "obra abierta" es la promesa de una nueva voz poética, aunque esté expresada de modo negativo. En un poema anterior, la afirmación del poder de la palabra se hace a través de la celebración del silencio: "Nunca has tenido sino estos labios/ para el silencio" (185). La negación condensa el proceso de significación de la poesía de Esdras Parra, hecha de silencios, de heridas, de cicatrices. La palabra habla no desde "los espacios más íntimos del ser", como anuncia la tapa del libro, sino desde su desgarramiento. La palabra persiste como resto de lo que calla.

La busca constante y el cambio definen la escritura de Esdras Parra. El arco que su obra traza del cuento a la poesía es, en mi opinión, un índice de esa persecución infatigable de la palabra intensa y móvil, que elabora el cambio de género sexual como una travesía abierta, contradictoria e inquietante, y no como la definición que vendría a clausurar un largo proceso de tribulaciones. La fuerza de la poesía de Esdras Parra reside en la exploración incesante (por metáfora, por paradoja, por negación) de esa mutación vital.

[2002]

Notas

[1] Pensemos por ejemplo en *Conundrum* de Jan Morris, en *Crossing* de Deirdre McCloskey.

Ética y sexualidad en la ficción autobiográfica de Fernando Vallejo

No ha de sorprender al lector que unas reflexiones sobre la ficción autobiográfica comiencen con una cita de Marcel Proust:

> Acaso sólo en las vidas realmente viciosas el problema de la moralidad surge con toda su fuerza perturbadora. El artista no da a este problema una solución en términos de su vida personal sino en función de lo que para él es la vida verdadera; él presenta una solución general, literaria. Como los grandes Doctores de la Iglesia, quienes, sin dejar de ser buenos, empezaban sin embargo por experimentar los pecados de toda la humanidad para extraer de ellos su propia santidad, así ocurre a menudo con los grandes artistas, quienes, siendo perversos, hacen uso de sus vicios para alcanzar una concepción de la ley moral que nos hermane a todos los hombres. (I, 445)

La revelación de los "vicios" ocultos se transforma en el eje mismo de la escritura de Proust y lo lleva a la convicción de que el individuo no es sino una colección de seres heterogéneos. Esta idea destruye la posibilidad de la verdad, también, del amor. Por un lado, los vicios y los secretos socavan cualquier noción de verdad y no constituyen en sí mismos una verdad alternativa. Por el otro, el narrador imagina con fervor al otro, convirtiendo el amor en una fantasía que termina por guardar poca relación con quien ama.

Como lo haría Borges unos años después en "El jardín de senderos que se bifurcan", Proust intuye al individuo como una sucesión de seres innumerables. La concepción plural del sujeto y el modo de ficción autobiográfica que caracterizan la escritura de Proust han encontrado un continuador ejemplar en el controvertido novelista Fernando Vallejo.[1] Este escritor colombiano (quien, además, es cineasta, científico amateur, gramático y polemista)[2] tal vez sea el más proustiano de los actuales novelistas en América Latina.[3] Podemos encontrar un indicio para esta conjetura en su libro *Logoi: Una gramática del lenguaje literario* (1983). Este singular tratado de estilística, que abunda en citas de Manuel Mujica Láinez y Colette, también incluye pormenorizados análisis de más de cincuenta fragmentos de Proust. Sus observaciones, sin embargo, no son singularmente atractivas como crítica literaria.[4] La discusión más extensa que hace Vallejo de Proust en *Logoi* consiste en un desmenuzamiento de su sintaxis:

> [...] cuatro incisos en una sola frase, de los cuales el primero es un complemento circunstancial que retarda un complemento directo; el segundo una aposición que retarda un sujeto; el tercero varios complementos circunstanciales cuyo conjunto retarda el enunciado de un verbo, y cuyos sustantivos tienen diversas determinaciones, entre las cuales un inciso entre paréntesis; el cuarto, en fin, es un paréntesis que se agrega a un predicado y que retarda un complemento circunstancial. Los incisos (e incisos en el interior de otros incisos) son una característica muy notoria del estilo de Proust (486).

Este esmerado examen sugiere que Vallejo ha estudiado rigurosamente la *Recherche*. El impacto de Proust en su escritura, sin embargo, habrá que buscarlo en otro plano, el de la ficción autobiográfica.

Fernando Vallejo es conocido, principalmente, como autor de una serie de irreverentes semi-autobiografías. Los cinco volúmenes de *El río del tiempo*, la famosa novela *La virgen de los sicarios*,[5] su reciente *El desbarrancadero* (2001, acerca de la muerte de su hermano Darío), y *La Rambla paralela* (2002, que trata de su propia muerte),[6] se instalan, todos ellos, en una zona incierta entre la ficción y la autobiografía. Esa tenue irresolución genérica no es ajena a la sugerida por el mismo Proust: "una obra, aun directamente autobiográfica, está por lo menos intercalada entre muchos episodios de la vida del autor" (IV, 486). Además de un vasto universo de ficción autobiográfica, Vallejo ha publicado extraordinarias biografías de José Asunción Silva y Porfirio Barba Jacob.

El río del tiempo, editado por Alfaguara en un volumen de setecientas páginas en 1999, está integrado por cinco partes, que fueron publicadas originalmente en forma separada: *Los días azules* (1985), *El fuego secreto* (1986), *Los caminos a Roma* (1988), *Años de indulgencia* (1989) y *Entre fantasmas* (1993). En la contratapa de *Años de indulgencia* se lee: "Libre de los estrechos linderos de los géneros, de imposiciones y religiones, sin ser novela, ni poesía, ni autobiografía, ni historia, la literatura queda entonces reducida a su última instancia: frente al embate del tiempo, con sus significados y sonidos cambiantes, el efímero pasar de la palabra" (cit. en Jaramillo 429). Quien firma este comentario es Margarito Ledesma, un crítico inventado por Vallejo para reseñar su propia obra. Al definirla por negación, por lo que no es o por los géneros a los que ella no pertenece, Vallejo confía al lector la tarea de abordar la indefinición genérica y la mezcla entre realidad y ficción que ella supone. De forma similar, en *El mensajero*, la brillante biografía de Porfirio Barba Jacob, su alter ego Ledesma anota en la contratapa:

> Abusando un poco de la amistad, me ha pedido el autor que le escriba unas líneas de presentación para su libro *El mensajero* [...] y le he contestado que para qué, que sus libros no necesitan de presentación de nadie; sin ser novelas, ni autobiografías, ni memorias, ni diarios se presentan solos: arrancan con un exabrupto.

Es precisamente en los límites inciertos entre los géneros que Vallejo plantea el juego con el lector. Llegado este punto, podemos plantearnos cuáles son los corolarios éticos de esta estrategia de escritura, que desafía y desestabiliza los conceptos de verdad y ficción.

David William Foster, en *Gay and Lesbian Themes in Latin American Writing*, interpreta *El fuego secreto* como una novela *outsider*, en la que el narrador expresa su alineación respecto de la sociedad colombiana, pero también su superioridad frente a ella. Sostiene Foster:

> Y in embargo es esta ética de "lo que puede" la que marca el proyecto dual del protagonista, su identidad personal basada en la circunstancia de su homosexualidad y su narrativa personal basada en la necesidad de describir su mundo social, que debe ser legitimado contra las hipocresías predominantes. (127)

Foster se equivoca cuando afirma que la obra de Vallejo depende de "la legitimidad del desafío que hace el individuo al código moral de su sociedad sobre la base de compromisos personales más elevados" (127). Esta hipótesis liga a Vallejo con la tradición de la desobediencia civil (en la línea de Thoreau, Gandhi y King, entre otros), un linaje en el que el colombiano se habría de sentir, sospecho yo, decididamente incómodo. Foster también asume el *coming out* como un valor moral más elevado que las normas sociales, ignorando que las diatribas de Vallejo van dirigidas no solamente a los heterosexuales hipócritas y a la Iglesia sino a un amplio abanico de objetivos, que no se abstiene de pobres, mujeres embarazadas, negros e indios. No hay duda de que el narrador postula su preeminencia en términos sociales, pero la suya es la superioridad del intelectual como *dandy* o esnob. En este sentido, resulta un error pensar la cuestión de una sexualidad disidente desde un punto de vista ético y metafísico.

La dimensión ética de la escritura de Vallejo puede ser abordada, en cambio, a partir de la indefinición y la crisis de los protocolos genéricos que el conjunto de sus textos plantea. *El río del tiempo* y la siguiente novela de Vallejo, *El desbarrancadero* (sobre la muerte de su hermano Darío a causa del SIDA), se acercan más a la autobiografía que a la ficción. *La virgen de los sicarios*, por su parte, presenta una estructura afín a la novela (especialmente en su trama fuertemente melodramática), pero no deja de estar colmada de detalles autobiográficos.[7] De hecho, el narrador es un gramático, un escritor, un colombiano exiliado en México, un homosexual, un *dandy*: todos estos detalles parecen establecer una identificación del narrador con el autor. Inclusive, en una ocasión, uno de los personajes llama al narrador por su nombre, "Fernando", una estrategia que nos remite a los breves pasajes en *La prisionnière* de Proust en que el narrador revela que su nombre es Marcel. Las identificaciones autobiográficas crean un problema ético significativo, puesto que el narrador es cómplice en varios asesinatos en la novela. Estas deliberadas yuxtaposiciones llevan al lector a preguntarse si el narrador coincide realmente con el autor y cuál es, en última instancia, el estatuto legal del texto.

Al principio de *La virgen de los sicarios*, el narrador es un espectador pasivo a quien sorprende la violencia arbitraria de Alexis, pero pronto ha de descubrir el poder que él mismo tiene en este tipo de situaciones. Así acontece en un pasaje en el que un vecino ha puesto la música a todo volumen. El narrador, fastidiado, le dice a Alexis:

> "Este condenado ya nos dañó la noche", me quejaba. "No es metalero –me explicó Alexis cuando se lo señale en la calle al otro día–, es un punkero". Lo que sea. Yo a este mamarracho lo quisiera matar". (25)

La próxima vez que se encuentran con el vecino en la calle, Alexis le dispara en la frente. El narrador reflexiona:

> ¿De quién es el pecado de la muerte del hippie? ¿De Alexis? ¿Mío? De Alexis no porque no lo odiaba así le hubiera visto los ojos. ¿Mío entonces? Tampoco. Que no lo quería, confieso. ¿Pero que lo mandé matar? ¡Nunca! Jamás de los jamases. Nunca le dije a Alexis: "Quebrame a éste". Lo que yo dije y ustedes son testigos fue: "Lo quisiera matar" y se lo dije al viento; mi pecado, si alguno, se quedó en el quisiera. Y por un quisiera, en esta matazón ¿se va a ir uno a los infiernos? (33)

Esta disquisición sobre los dilatados alcances pragmáticos de un modo verbal se condice con las obsesiones y el modo de pensar del gramático. Se establecen inquietantes relaciones entre la lengua y la experiencia, la literatura y la vida, la fantasía y el deseo. En el transcurso de la novela, el narrador se va involucrando cada vez más en el mundo de los sicarios.[8] Después de que Alexis es asesinado por un joven en una motocicleta, Fernando se relaciona con otro sicario, Wílmar, quien resulta ser nada menos que el asesino de Alexis (quien, a su vez, ejecutó al hermano de Wílmar). El narrador parece quedar atrapado en la progresión melodramática de la novela y concibe la idea de matar él mismo a Wílmar. Los dos llegan a un hotel de mala muerte:

Así, sin identidad como el hombre invisible cruzamos por la recepción, entramos al cuarto, nos desvestimos, nos acostamos y él se durmió y yo me quedé despierto meditando sobre los atropellos europeos a los derechos humanos y el eterno silencio del Papa [...]. El revólver, su revólver, lo había puesto, como siempre, sobre su ropa. Eso él. En cuanto a mí, yo simplemente estiraba, como me aconsejó el santo caído, el brazo, lo tomaba, lo ponía sobre su cabeza y disparaba, y a ver si alcanzaba a oir el tiro su puta madre que lo parió. Después me iría yendo tan tranquilo, con estos mismos pies con los que entré [...]. Y yo inmóvil y él durmiendo y así empezaron a correr las horas y el revólver no venía sólo hacia mí volando por el aire ni mi brazo se me alargaba a tomarlo. Entonces descubrí lo que no sabía, que estaba infinitamente cansado, que me importaba un carajo el honor, que me daba lo mismo la impunidad que el castigo, y que la venganza era demasiada carga para mis años. (115)

Después de que Wílmar despierta, el narrador le pregunta si él sabía, en el momento de asesinar a Alexis, que el narrador era la otra persona que iba en el asiento de atrás del taxi. El muchacho responde que sí y que no tenía miedo de una posible venganza. Este diálogo y esta situación suscitan en Fernando una reflexión sobre el alcance de su propia complicidad en los asesinatos:

De los muertos que cargaba Alexis en su conciencia (sí es que tenía) cuando nos conocimos, yo no soy culpable. De los de este niño, los suyos propios, tampoco.

Allá ellos con sus muertos que de los que aquí tenemos compartidos ustedes son testigos. (115)

Pero, unas cuantas páginas más tarde, tal vez previsiblemente, es otra persona quien asesina a Wílmar, quitándole al narrador el peso de sus tribulaciones pero también negándole el acto de voluntad que habría sido necesario para haberlo matado él mismo.

El dilema ético de *La virgen de los sicarios* es también relevante en *El río del tiempo*. En esta novela, el narrador confiesa su culpabilidad en los homicidios de una portera francesa y de un gringo en España. El caso de la portera está narrado inicialmente como una comedia. Con fruición, el narrador describe el carácter ácido y desagradable de la encargada, la decisión que él ha tomado de abandonar el hotel y la meticulosa preparación de una caja de chocolates envenenados que planea dejarle a la mujer como "regalo" de despedida. El resto de la autobiografía está marcada por la incertidumbre que genera no saber si el narrador será atrapado y las obsesivas evocaciones de la muerte conjetural de la portera parisina.[9]

Estas observaciones nos remiten, nuevamente, a la *Recherche* de Proust. En un pasaje hacia el final de la novela, Marcel sostiene que un patrón recurrente y único signa el trabajo de cada gran artista. Sorpresivamente, Albertine lo increpa: "¿Pero él alguna vez asesinó a alguien, Dostoievski?" (III, 881). La pregunta, aunque se trate claramente de una reacción ingenua al trabajo del artista, es muy significativa en el contexto de nuestra discusión sobre ética y ficción en Vallejo: ¿Acaso él mató alguna vez a alguien? La interpelación, en efecto, late provocativamente en toda la obra. Irrumpe, no sin jocosidad, en las primeras páginas de *La Virgen de los sicarios*: "¿Yo un presunto 'sicario'? ¡Desgraciados! ¡Yo soy un presunto gramático!" (44).

Aun más allá de eventuales homicidios, el autorretrato que Vallejo hace de sí en sus libros no es precisamente halagador.[10] Además de las diatribas contra los fuertes, contra los débiles y contra quienes cometen errores gramaticales en español, los narradores de Vallejo son cómplices en una serie de homicidios e intentos de crímenes varios, que incluyen la manía de atropellar mujeres embarazadas y una letanía de abusos a la mismísima madre (a quien llama "La Loca"). Algunas veces la mordacidad de Vallejo es sumamente divertida, como cuando se burla de Octavio Paz y del pintor mexicano José Luis Cuevas. (De este último, por ejemplo, dice que el peor momento de su vida fue cuando un ladrón entró en su casa de Ciudad de México y, en lugar de robar las pinturas del mismo Cuevas, robó cuadros de Botero.) En otros pasajes, sin embargo, su ira parece desproporcionada en relación con los objetos que la incitan y termina por recaer, en última instancia, sobre sí mismo.

Otro tema que subyace en *La virgen de los sicarios* y en *El río del tiempo* es el problema ético de la prostitución, puesto que los objetos de deseo sexual son frecuentemente prostitutos. Vallejo invierte un tópico que ya nos es familiar, principalmente a partir de la obra de John Rechy y muchos otros escritores: la identificación del prostituto como heterosexual y la del cliente como gay. María Mercedes Jaramillo ha advertido que el joven asesino "señala sin pudor el comercio sexual y la impunidad adquirida con el dinero" (424). En *La virgen*, el narrador ha tenido experiencias sexuales con mujeres pero los jóvenes sicarios –fundamentalmente, Alexis y Wílmar, los dos personajes sicarios más importantes de la novela– son identificados completamente como gays. El narrador atribuye la falta de interés que ellos sienten por las mujeres a su inocencia angelical, un candor que, en el caso de Alexis, también se puede ver en su rechazo a matar un perro moribundo (77). Desde ya, esta caracterización no carece de ironía, tratándose de jóvenes que en el libro cometen una ristra de asesinatos. La índole clasista de la relación entre Fernando y los sicarios es suficientemente clara: ellos quieren dinero y regalos de él, son conscientes de que los separa una diferencia económica y de que ellos ocupan un lugar muy vulnerable dentro de la estructura social. Al comprar sus favores (aun cuando lo haga de forma sutil), el narrador abre un debate sobre los privilegios de clase, posición económica y edad. En gran parte de su obra, Vallejo entreteje cuestiones de clase social, exilio y homosexualidad con la deliberada pose de *dandy* pedófilo que adopta el narrador.

También es perceptible en su obra una profunda fascinación con la violencia, que sus narradores encuentran excitante. Como en el caso del decadente burdel masculino descrito por Proust en la *Recherche*, el narrador/cliente de *La virgen* despliega sus fantasías a través de los sicarios. Como señala Proust: "El cliente, en su ingenuidad, queda estupefacto; por su arbitraria concepción del *gigoló*, mientras se deleita con los muchos asesinatos de los que lo cree culpable, queda horrorizado por cualquier simple contradicción o mentira que detecta en sus palabras" (IV, 403-4). En otro pasaje de la misma sección de la novela, añade: "un sádico puede creer que está hablando con un asesino pero esto no habrá de alterar la pureza de su alma" (403). Según Proust, esta inocencia poco difiere de la ira moral de los justos: "entre la gente así llamada inmoral, las indignaciones morales son tan violentas como entre los otros; sólo varía apenas su objeto" (IV, 257). De un modo similar, la irritación moral que inspira el narrador de Vallejo complica el pacto autobiográfico.[11] El escritor ha declarado que su trabajo no es una autobiografía sino una "autohagiografía". María Mercedes Jaramillo retoma esta apreciación al sostener que en la obra de Vallejo se destaca su "misión de profeta apocalíptico que con furia indomable fustiga al destinatario apático e irresponsable" (430).

El principal objeto de deseo para el narrador de *La virgen de los sicarios* es Alexis, quien es descrito por primera vez de la siguiente forma: "aquí los sicarios son niños o muchachitos, de doce, quince, diecisiete años, como Alexis, mi amor: tenía los ojos verdes, hondos, puros, de un verde que valía por todos los de la sabana. Pero si Alexis tenía la pureza en los ojos tenía dañado el corazón. Y un día cuando más lo quería, cuando menos lo esperaba, lo mataron, como a todos nos van a matar" (9). La "pureza" de corazón de Alexis, como ya he observado, aparece estrechamente ligada a su identificación exclusivamente gay. Los padres salesianos con los que el narrador estudió le enseñaron que las mujeres eran diabólicas. En consecuencia, la identidad exclusivamente homosexual le confiere a Alexis un aura angelical, afirmación irónica a la luz de la profesión de pistolero a sueldo que Alexis ejerce de forma despiadada e indiferente. Un intermediario le presenta a Alexis al narrador: "Aquí te regalo esta belleza ... que ya lleva como diez muertos" (10). La "belleza" es aquí, para emplear la formulación de Yeats, una belleza terrible, nacida de los carteles de la droga en Medellín y abandonada a su "buena" y azarosa fortuna después de la muerte de Pablo Escobar, hecho que dejó a los jóvenes sicarios vagando por el mundo.

Si Alexis es el objeto de deseo del narrador, especialmente significativo es el instante en que el joven sicario pronuncia su nombre. En un pasaje célebre del libro de Proust, el narrador sugiere que su nombre podría ser Marcel: "'Mi' o 'Mi querido', seguidos, cualquiera de los dos, de mi nombre de bautismo, lo que, si le diéramos al narrador el mismo nombre que el autor de este libro, resultaría 'Mi Marcel' o 'Mi querido Marcel'" (III, 583).[12] Esta identificación entre narrador y autor es emulada por Vallejo en un momento clave de la novela. Alexis, agonizando, le advierte al narrador: "¡Cuidado! ¡Fernando!" (78). Después de muerto su amante, Fernando reflexiona: "Mi nombre en boca suya en el instante irremediable me seguía repercutiendo en el alma" (82). Desde ya, una forma similar de identificación entre narrador y autor opera en miles de otras páginas de Vallejo, en las que los detalles de las vidas del autor y el narrador se corresponden de una manera manifiesta.

Vallejo desafía los límites en la relación entre ficción y experiencia. Nótese, por ejemplo, que los personajes de *La virgen de los sicarios* parecen "sacado[s] de una novela" (12). Asimismo, el narrador insiste en que su propia vida tiene un aire de ficción:

"La trama de mi vida es la de un libro absurdo en el que lo que debería ir primero va luego. Es que este libro mío yo no lo escribí, ya estaba escrito: simplemente lo he ido cumpliendo página por página sin decidir" (17). El problema de esta indeterminación genérica se transforma en una cuestión moral cuando el narrador toma partido en conflictos entre los miembros más marginados de su sociedad, se burla de las víctimas, se convierte en cómplice de una seguidilla de actos de violencia e, inclusive, amaga con cometer algunos él mismo. La escritura de Vallejo incomoda porque acorta la distancia entre un narrador amoral y una postura de autor apocalíptico. Esta combinación frustra las expectativas del lector de que la maestría narrativa tenga un correlato en una presunta superioridad ética del autor. No es la estrategia de Vallejo crear la ilusión de esa tranquilizadora congruencia.

Vallejo le da una nueva vuelta de tuerca a la relación entre novela y experiencia. Un ejemplo paradigmático de "frialdad" narrativa es un momento en *La virgen de los sicarios*, cuya reminiscencia con el final de *La cara de la desgracia* de Juan Carlos Onetti es notable. El narrador se detiene en la descripción técnica del cadáver de Wílmar:

> Y pasaba a hablar de heridas de la vena cava y paro cardiorrespiratorio tras el shock hipovolémico causado por la herida de arma cortopunzante. El lenguaje me encantó. La precisión de los términos, la convicción del estilo… Los mejores escritores de Colombia son los jueces y los secretarios de juzgado, y no hay mejor novela que un sumario. (117)

Nuevamente, el oído atento del gramático. Nuevamente, la pasión por el estilo, la relación desconcertante entre lengua y experiencia. Al inicio de *La virgen de los sicarios,* Vallejo escribe: "Yo sé más de Medellín que Balzac de París, y no lo invento: me estoy muriendo en él" (41). A pesar de esta alusión, el modelo más cercano no es Honoré de Balzac sino Marcel Proust: Vallejo está más comprometido con el significado íntimo de la vida en Medellín que con la descripción de la ciudad. Sus evocaciones son narcisistas en un sentido productivo: si el narrador está absorto en sí mismo, esta compenetración termina por conferirle un tono áspero y mordaz a su experiencia. Difícilmente podamos reconocer en ese tono la voz de Proust. Ironías de la tradición: la lúcida lectura que hace Vallejo de la ficción autobiográfica del petit Marcel le permite explorar mundos narrativos inusitados.[13]

[2002]

Notas

[1] Para una visión negativa de la obra de Vallejo, ver la reseña de Juan Gabriel Vásquez sobre *El desbarrancadero*: "La mejor prueba de que en Colombia no se lee es que Vallejo no ha sido abaleado todavía."

[2] Para sus trabajos científicos, ver *La tautología darwinista y otros ensayos de biología*. Una buena introducción a la obra de Vallejo es "Memorias insólitas" de María Mercedes Jaramillo. Este ensayo abre un dossier dedicado a Vallejo en la revista *Gaceta* del Ministerio de Cultura de Colombia.

[3] Muchos otros escritores hispanoamericanos han sido influenciados por Proust. Los casos tal vez más notables sean los de Manuel Mujica Láinez y José Bianco. Ver el libro de Herbert Craig sobre la influencia de Proust en la novela hispanoamericana. Llamativamente, Craig no considera a dos de los escritores más proustianos del continente: Vallejo, cuyos trabajos literarios comienzan en los años 80, y Sylvia Molloy, tanto en su novela *En breve cárcel* (1981) y en su reciente *El común olvido*, publicado el año 2002 y, por lo tanto, demasiado reciente para haber sido tenida en cuenta por Craig.

[4] Por ejemplo, Vallejo explica que, en Proust, la diferencia entre la aristocracia y los nuevos ricos se hace explícita en un "pasaje en que uno de los términos está retomado por el adjetivo pronominal y el otro por una perífrasis formada por sustantivo adjetivo y calificativo" (179). En otro momento, Vallejo se detiene en una descripción de un aristócrata en la ópera: "Proust, que ha retomado *un homme* por el pronombre personal en nominativo, evita luego el acusativo ('mais je n'hesitai pas cependant á le situer dans la meme classe sociale') recurriendo al calificativo de autor *l'inconnu*, que si no es completamente superfluo para el sentido ya empieza a serlo" (186).

[5] No trato aquí la relación entre la novela y la película de Barbet Schroeder. Sobre este tema, ver el artículo de William Ospina en *Número* 26 (2000), que aparece junto a una nota de Schroeder sobre la filmación de *La virgen de los sicarios*.

[6] Éstos son los proyectos que Héctor Fernández L'Hoeste anunció en su artículo de diciembre del 2000 sobre Vallejo en *Hispania*. Luis Ospina, cineasta colombiano, me comentó en Bogotá que Vallejo le había dicho que cuando publicara el libro sobre su propia muerte (es decir, *La Rambla paralela*), dejaría de escribir ficción.

[7] Para una buena lectura de *La virgen de los sicarios*, ver Héctor Fernández L'Hoeste.

[8] Ver la crónica que hace de este mundo Eliza Grizwold en *The New York Times*.

[9] Este crimen también se menciona en *El mensajero*.

[10] Si es así, ¿entonces Fernando Vallejo, el autor, compartiría la complicidad de los asesinatos de los personajes de Fernando el narrador? Muchos periodistas le han preguntado hasta qué punto su novela es autobiográfica. Vallejo ha contestado "Todos los muertos que aparecen los he matado en mi corazón", y además, "si les respondo su pregunta, tendría que ir a la cárcel". Ver el artículo de Mark McHarry.

[11] Cf. Lejeune, *Le pacte autobiographique*.

[12] Tres veces más en el mismo volumen de la *Recherche*, el narrador es llamado Marcel (III, 663).

[13] Quiero agradecer a Oscar Torres-Duque y a Álvaro Bernal por compartir conmigo sus ideas sobre Vallejo y la novela colombiana contemporánea.

Corazones abiertos

Como observé en el primer ensayo de este libro, "El pudor de la historia", las historias y antologías de las literaturas nacionales en América Latina han sido muy pudorosas con respecto al tema de la sexualidad en general y la homosexualidad en particular. Desde luego, no faltan textos que se podrían antologar (o comentar en las historias de la literatura), pero con pocas excepciones, y casi todas ellas muy recientes, esta temática ha sido excluida. Como sostienen Beatriz González Stephan y Hugo Achurar en sus estudios del siglo XIX, toda antología −y toda historia literaria− son intervenciones culturales. Por ende, la decisión de publicar una antología de literatura homoerótica debe ser entendida siempre en un contexto polémico amplio, donde están en juego nociones como nación, ciudadanía, canon y cultura.

En términos generales, el debate en torno a la inclusión de lo homoerótico en la literatura responde al reacomodamiento del canon en momentos en los que la literatura se pone en tela de juicio o en "proceso", como quería Mariátegui. En la última década, las discusiones en varios países latinoamericanos sobre ciudadanía y participación social (de etnias, de minorías raciales y lingüísticas, de minorías sexuales) han jugado un papel relevante en las reformas constitucionales y en los debates jurídicos. En un contexto caracterizado por la reafirmación de las sociedades multiculturales (y a veces, también, plurilingüísticas) y los derechos de las minorías, el reclamo por los derechos civiles de gays, lesbianas y transgéneros va acompañado de nuevas iniciativas culturales: librerías, editoriales, espacios de performance, antologías, cátedras universitarias. Este fenómeno no se circunscribe a espacios minoritarios. Por ejemplo, a la vez que el Movimiento Homosexual de Lima (MHOL) publica antologías y crítica cultural o se organiza la Semana Cultural Gay en Ciudad de México, también aparecen publicaciones homoeróticas en los medios masivos, en grandes diarios y revistas, y en editoriales comerciales como Planeta y Sudamericana.

Se sabe que en los años 70 se hicieron dos antologías de literatura homosexual brasileña, dedicadas respectivamente al cuento (*Histórias do amor maldito*, 1967) y a la poesía (*Poemas do amor maldito*, 1969), y que las primeras antologías a nivel continental fueron las que Gay Sunshine Press publicó en inglés en San Francisco: *Now the Volcano* (1979) y *My Deep Dark Pain Is Love* (1983).[1] Pero es sólo recientemente que se han publicado antologías de literatura homosexual en el ámbito hispanoamericano: *De amores marginales*, una antología de cuentos mexicanos editada por Mario Muños, es apenas de 1996, mientras que *Historia de un deseo*, una selección de cuentos argentinos recopilados por Leopoldo Brizuela, es de 2000. *A corazón abierto: Geografía literaria de la homosexualidad en Chile* (Santiago: Sudamericana, 2001), de Juan Pablo Sutherland es la primera en Chile. Dada la consistencia y seriedad de su elaboración, esta última ofrece una ocasión propicia para considerar la presencia de lo homoerótico en la literatura chilena.

Esta reflexión resulta particularmente oportuna en un período en el que ha habido controversias públicas en torno a la sexualidad de dos de los escritores chilenos más significativos del siglo XX, Gabriela Mistral y José Donoso. En julio del 2002, en el marco del Congreso del Instituto Internacional de Literatura Ibero-americana, organicé una exposición del archivo de Donoso, que está desde principios de los años 70 en la biblioteca de la Universidad de Iowa. Marcelo Soto escribió una serie de artículos sobre el archivo para el diario *La Tercera* de Santiago. Esto originó la reacción airada de Pilar Donoso Serrano, la hija del escritor, y algunas réplicas en diarios sudamericanos.

Un ejemplo de la homofobia con la que fue recibida esta noticia es el artículo de Julio Ortega en el suplemento cultural de *Clarín* en agosto de 2003. Después de mencionar las cartas citadas por Marcelo Soto y de protestar contra la violación de la vida privada de Donoso, Ortega concluye:

> Pero si la fama es de por sí un malentendido, la que ahora aguarda a José Donoso no será la del gran escritor mal leído que siempre fue, sino la del novelista homosexual, leído en clave de travesti y *queer* para entusiasmo de quienes creen haberle hecho el favor de sacarlo del closet. Tal vez al extraviar el enigma de su privacidad, entre los periodistas y los profesores que llevan agua a su molino, perdamos de vista el temblor antiguo de una obra que, como pocas, se resistía a ser procesada.
>
> Aunque, quién sabe, de pronto esta sobrevida póstuma le resulte más propicia. Por lo pronto, ha sido acogido por "SantiagoGay.com", entre las secciones "Chico del mes" y "Tu chat".[2]

Lo que está en juego aquí es el deseo de controlar las posibles lecturas de Donoso. Ortega no se abstiene de esgrimir su amistad con el autor ni de apelar a la reacción de la hija; la vida del autor le sirve para autorizar ciertas lecturas y descalificar otras. Borges sostiene que los clásicos son objeto de lecturas múltiples y cambiantes (*Obras completas* 772-73). Esta idea es demasiado heterodoxa para Ortega, quien asume, en cambio, una posición de árbitro. Su defensa de la "gran tradición" o la "gran literatura", análoga a la de Harold Bloom, se opone a las nociones de "obra abierta", tan caras a Eco, a Cortázar, o al mismo Donoso. Con una irritación que no deja de extrañar, el crítico se inquieta por el hecho de que el texto se pueda seguir leyendo de modos diferentes, como si su valor literario corriera peligro debido a nuevas lecturas, ya sean éstas feministas, queer o postcoloniales. En su juicio subyace un esencialismo obtuso con respecto al concepto de valor literario.[3]

Al insistir en la primacía del texto (aunque sin renunciar a acreditarse como amigo de Donoso y, por lo tanto, como un crítico autorizado), Ortega está manejando el concepto del New Criticism norteamericano de los años 50 de falacia intencional o biográfica, que ha sido convincentemente refutado por corrientes de la teoría literaria como el nuevo historicismo, el feminismo y los estudios queer. Estas corrientes han enfatizado la marca del autor y del contexto (el momento de composición, los debates culturales contemporáneos, el trasfondo socio-político), y han insistido en la actualidad del texto, en su capacidad de seguir interpelando al lector. Como le pasa a Harold Bloom cuando enfrenta nuevas lecturas de obras canónicas, a Ortega le molesta profundamente que otros "se apropien" de textos que pensaba de dominio privado. Sin embargo, los clásicos son de dominio público, siempre susceptibles de lecturas nuevas.

Ésta es la perspectiva asumida por Sutherland en *A corazón abierto*. Define su antología como una geografía o una panorámica, y entra en una relación polémica con las historias de la literatura nacional (sin que esto implique que él mismo tenga que escribir una historia de esa literatura). Sin embargo, vale aclarar que la antología no está organizada en términos geográficos; no trata de descubrir una literatura homoerótica del sur o del norte del país. En cambio, sí se organiza en núcleos históricos: "Otras épocas" (Augusto D'Halmar, Carlos Vattier, Joaquín Edwards Bello), cartas y diarios de mediados del siglo XX (Alone, Luis Oyarzún), y grandes cambios culturales en Chile en la última década. También hay secciones dedicadas a la poesía ("Poéticas, deseos y destierros") y a literatura carcelaria ("Encierros en la ciudad").

En la introducción Sutherland se refiere a polémicas en torno a la historiografía de la literatura nacional:

La periodización histórica de la literatura chilena, por lo general, ha tendido a hegemonizar la cultura oficial y a sentar las bases de la llamada Literatura Nacional, patrimonio servil de la idea de Identidad Nacional. Diversos historiadores de nuestra literatura, Latcham, Goic, Silva Castro, Alegría, Melfi, entre otros, organizan sus proyectos críticos en torno, principalmente, a dos ejes: la periodización en generaciones literarias y, por otra parte, la sucesión de estilos y movimientos literarios. Ambas metodologías construyen un proyecto histórico oficial de nación. (15)

Sutherland se opone a estos ejes de lectura y organiza una antología de textos y no de autores (la idea de Valéry tan celebrada por Borges) y rehuye las categorías de generación, estilo y movimiento. Subraya las entonaciones personales y busca afinidades electivas entre autores de diversas épocas. La distinción entre canónico y no canónico pasa a un segundo plano y los textos son elegidos según a su pertinencia para las temáticas que la antología pone en juego. Sutherland crea así una especie de archipiélago de fragmentos en vez de una "historia literaria" continua. De este modo, rompe con el modelo evolutivo que subyace el esquema generacional y las periodizaciones de los historiadores literarios. Hay una fuerte apuesta por nuevas lecturas:

Alguna vez esta antología fue pensada sólo como un sueño. Un sueño que se armó desde la imposibilidad de aciertos críticos, desde la escasa bibliografía y desde aquellas secretas lecturas que construyeron mundos propios y colectivos en algún momento posible, un momento que vemos ahora llegar a puerto. La concreción de un proyecto de esta magnitud expresa últimamente la soberanía de las hegemonías culturales de cada época y de las recepciones críticas... Significativa es la nueva tarea que les compete a los lectores, aquellos que volverán a leer algunos textos después de muchos años, u otros que, motivados por la novedad, descubran mundos, señalen preguntas y revivan o recreen sensaciones. La apuesta está lanzada, los textos están aquí, esperando ser leídos en aquel intenso espacio que existe entre el mundo creado por los autores y la recepción de sus lectores. (27)

Ese lector posible –¿el "lector cómplice" que quería Cortázar, a pesar del evidente sexismo de su modelo?– es quien relee y mantiene la vitalidad de la tradición.[4] Sueño o utopía, la tradición depende siempre de lecturas que son, a un mismo tiempo, secretas y compartidas. La organización híbrida de la antología es una decisión feliz. Mediante nexos tácitos entre los textos, Sutherland crea una contrahistoria de la literatura nacional. Ésta es la forma en que cumple con lo que promete en la introducción: ampliar el canon de la literatura chilena e incluir explícitamente los debates en torno a la homosexualidad.

Sutherland menciona en la introducción que los estudios queer han puesto en tela de juicio conceptos tradicionales de identidad, orientación y preferencia, así como también los de la sociología normativa (norma y desvío). Sin embargo, como suele ocurrir en antologías de este tipo, muchos textos afirman la identidad homosexual y abogan por el "coming out" en contra del "clóset". Algunos de los autores incluidos hacen hincapié en el descubrimiento que hacen los personajes o el narrador de "su identidad" y en su pertenencia a una comunidad ya definida. A la vez que se plantean dudas, conflictos y confusiones con respecto a la identidad, la estrategia básica de la antología fortalece un concepto indentitario de homosexualidad. Es significativa, en este sentido, la decisión de Sutherland de comenzar con el combativo "Manifiesto (hablo por mi diferencia)", de Pedro Lemebel, y de cerrar el libro con dos cuentos sobre hombres que no se atreven a definirse como homosexuales y dejan estelas de miseria, desorientación y violencia (me refiero a "Nunca se sabe" de Carlos Iturra y "Santa Lucía" de Pablo Simonetti). En este eje que traza el libro se advierte una argumentación implícita a favor de identidades homosexuales definidas.

Se nota un predominio de textos sobre hombres homosexuales y una relativa ausencia de textos sobre cuestiones lésbicas y transgenéricas. Esta disparidad no es un rasgo exclusivo de la compilación de Sutherland sino que es común en antologías latinoamericanas de este tipo; en Europa y Estados Unidos, en cambio, se suele buscar la paridad o se opta por el separatismo. La gran ausente, claro está, es Gabriela Mistral. Sutherland explica en su introducción la lamentable decisión de la Fundación Gabriela Mistral de no dejar que se incluyeran textos de la poeta porque, en palabras de la carta de la Fundación, "dicho trabajo antológico puede contribuir a interpretaciones tendenciosas, antojadizas y especulativas contrarias a la siempre significativa y relevante obra de nuestra autora" (22). Sin embargo, como apunta el mismo Sutherland, ha sido precisamente el descubrimiento de una Mistral otra —en obras críticas como las de Eliana Ortega y Licia Fiol-Matta— el que ha renovado el interés en "nuestra autora". En una sagaz manera de sortear la prohibición, incluir a Mistral y confirmar su pertenencia a este corpus, Sutherland nombra los tres poemas que habría querido incluir en la antología ("La flor del aire" y "La extranjera" de *Tala*, y "La que camina" de *Lagar*). Las tres mujeres incluidas (sobre un total de treinta y un autores) son María Carolina Geel, Marta Brunet y María Elena Gertner. Como bien se ha observado en numerosos estudios de las literaturas gays y lésbicas latinoamericanas, incluido en el único libro que se ha publicado sobre el tema en América Latina (*Lesbian Voices in Latin America*, de Elena Martínez), la presencia de textos de temática lesbiana es mucho menor que la de textos masculinos gays.

Un tema que sí está muy presente en *A corazón abierto* es la bisexualidad. Quizás por la naturaleza de los movimientos gay y lésbicos, en Chile y en otras latitudes, la bisexualidad ha sido percibida como una falsa opción. En cuentos como los de Iturra, Arcos Levi y Simonetti, las vivencias de los personajes hacen que el lector piense en la bisexualidad (además de la posible homosexualidad oculta que se disfraza de heterosexualidad). Como muy bien argumenta Marjorie Garber en su estudio de la representación de la bisexualidad en la literatura, *Vice Versa*, los triángulos de dos hombres y una mujer o de dos mujeres y un hombre, tan frecuentes en la literatura, se suelen leer como situaciones ambiguas y hasta falsas: se da por sentado que la naturaleza innata de alguno de los personajes es o bien homosexual o bien heterosexual, pero no se contempla la bisexualidad como una opción válida. Los relatos mencionados juegan con ese tipo de situación, sobre todo con hombres casados que buscan aventuras con hombres.[5]

Menos fuerte es la presencia de la temática de transgénero, a pesar de la inclusión de un fragmento importantísimo de *El lugar sin límites*, texto pionero a nivel mundial. Lo que domina entonces son identidades homosexuales masculinas, mientras que la homosexualidad femenina, la bisexualidad y el transgénero son voces minoritarias dentro de la antología.

Como ya he señalado, es notable el uso que hace Sutherland de lo fragmentario. Muchos de los textos son fragmentos de novelas, testimonios y diarios: fundamentalmente, lo fragmentario es un modo de lectura, ya sea de una vida o una obra literaria. *A corazón abierto* crea un fuerte deseo en el lector de tener acceso a más materiales de este tipo –literatura "menor" o lateral–, que suele no ser considerada en las historias de la literatura. El lector valora la aparición de "lo personal" y lo autobiográfico en una antología que no está organizada por la relación de los textos con momentos fundacionales (de un grupo, un movimiento, una revista, una nueva estética) sino que privilegia el "placer del texto" (Barthes) o el "lector hedónico" (Borges). El antólogo despliega un juego de seducción que, al igual que el *striptease* que analiza Barthes en *Fragmentos de un discurso amoroso*, sugiere sin revelar nunca del todo.[6]

En un contexto en el que surgen voces censoras como la de Julio Ortega, quien afirma que los estudios *queer* los inventamos periodistas y profesores "que lleva[mos] agua a [nuestro] molino", hay que destacar el rigor, la investigación y la inteligencia de Juan Pablo Sutherland. *A corazón abierto* discute y amplía el canon de la literatura chilena. Su estrategia consiste menos en exhumar textos postergados, que en ser fiel a la convicción de que la literatura es, en lo fundamental, una cuestión de lectores.

[2003]

Notas

¹ Sobre esas antologías puede consultarse el artículo que escribimos José Quiroga y yo, "A Sinister Beautiful Fairyland: Gay Sunshine Press Does Latin America".

² Más matizado que Ortega fue un artículo de Carlos Franz en el que observa que el interés por la vida privada y los cuadernos y borradores de Donoso es legítimo, ya que éste vendió sus papeles a la Universidad de Iowa, gesto que implica que quería que sus "secretos" se supieran y se estudiaran en algún momento.

³ Para una crítica del concepto de valor literario ver Barbara Johnson, *Contingencies of Value*.

⁴ En una reseña de la antología, Raquel Olea observa: "más allá de la proposición de lectura que esta antología propone... apela a la presencia de un lector que se descalce de aquel que pasiva y acríticamente [...] (18)."

⁵ Sobre el tema de la bisexualidad en una película de Jaime Humberto Hermosillo, ver Balderston, "Excluded Middle? Bisexuality in *Doña Herlinda y su hijo*."

⁶ Es de notar que en otras antologías latinoamericanas de cuentos eróticos, aunque no específicamente homoeróticos, parte del juego es la relación entre los textos y sus autores. Por ejemplo, en *Cuentos de nunca acabar* (1988), una antología que incluye obras de Mario Benedetti, Elvio Gandolofo, Teresa Porzecanski, Alfredo Zitarrosa, no se aclara quién es el autor de cada cuento, aunque se da la lista de autores: el lector entonces tiene que adivinar, a base de indicios de género y orientación sexuales, intereses culturales, etc.

Obras citadas

Acevedo, Ramón Luis. "Lo grotesco y lo absurdo en *Las noches en el Palacio de la Nunciatura* de Rafael Arévalo Martínez". *Studi di letteratura ispano-americana* 17 (1986): 69-82.

Achugar, Hugo. "Parnasos fundacionales: Letra, nación y estado en el siglo XIX". *Revista Iberoamericana* 178-79 (1997): 13-31.

Aira, César. "Prólogo". *Novelas y cuentos* de Osvaldo Lamborghini. Barcelona: Ediciones del Serbal, 1988. 7-16.

Alderson, Michael. "Introduction: About the Author". *The War of the Fatties and Other Stories from Aztec History* de Salvador Novo. Trad., notas e intro. Michael Alderson. Austin: University of Texas Press, 1994. ix-lviii.

Altman, Dennis. *Homosexual Oppression and Liberation*. Nueva York: Outerbridge & Dienstfrey, 1971.

Alegría, Fernando. *Historia de la novela hispanoamericana*. 3ª ed. México: Ediciones de Andrea, 1966.

Alifano, Roberto. *Borges, biografía verbal*. Barcelona: Plaza y Janés, 1988.

Amícola, José. *Manuel Puig y la tela que atrapa al lector: Estudio sobre* El beso de la mujer araña *en su relación con los procesos receptivos y con una continuidad literaria contestaria*. Buenos Aires: Grupo Editor Latinoamericano, 1992.

—, ed. *Materiales iniciales para* La traición de Rita Hayworth. La Plata: Centro de Estudios de Teoría y Crítica Literaria, 1996.

Anderson Imbert, Enrique. *Historia de la literatura hispanoamericana*. México: Fondo de Cultura Económica, 1970. 2 tomos.

Apollinaire, Guillaume. *Oeuvres poétiques*. Intro. André Billy. Comp. Marcel Adéma y Michel Décaudin. París: Gallimard, 1965.

—. *Alcools*. Comp. Garnet Rees. Londres: The Athlone Press, 1975.

Arévalo, Teresa. *Rafael Arévalo Martínez: Biografía de 1884 hasta 1926*. Guatemala: Tipografía Nacional, 1971.

Arévalo Martínez, Rafael. "Como compuse *El hombre que parecía un caballo.*" *Salón* 13 1.3 (1960): 17-21.

—. *El hombre que parecía un caballo y otros cuentos*. Guatemala: Ministerio de Cultura, Departamento Editorial, 1958.

—. *El hombre que parecía un caballo y otros cuentos*. Comp. Dante Liano. París: Colección Archivos, 1997.

Arrom, José Juan. *Esquema generacional de las letras hispanoamericanas: Ensayo de un método*. Bogotá: Instituto Caro y Cuervo, 1977.

Asís, Jorge. "Los homosexuales controlan todo." *Ultimos relatos*. Comp. Nelly Pretel. Buenos Aires: Nemont Ediciones, 1978. 17-24.

Avellaneda, Andrés. *Censura, autoritarismo y cultura: Argentina 1960-1983*. Buenos Aires: Centro Editor de América Latina, 1986. 2 tomos.

Bacarisse, Pamela. *The Necessary Dream: A Study of the Novels of Manuel Puig*. Cardiff: University of Wales Press, 1988.

Balderston, Daniel. "Amistad masculina y homofobia en 'El hombre que parecía un caballo". *El hombre que parecía un caballo y otros cuentos* de Rafael Arévalo Martínez. Comp. Dante Liano. París: Colección Archivos, 1997. 331-37.

—. "Excluded Middle? Bisexuality in *Doña Herlinda y su hijo*". *Sex and Sexuality in Latin America*. Comp. Daniel Balderston y Donna J. Guy. Nueva York: New York University Press, 1997. 190-99.

—. "The Mark of the Knife: Scars as Signs in Borges." *Modern Language Review* 83.1 (1988): 69-75.

—. *El precursor velado: R.L. Stevenson en la obra de Borges*. Buenos Aires: Editorial Sudamericana, 1985.

— y José Quiroga. "A Siniter, Beautiful Fairyland: Gay Sunshine Press Does Latin America." *Social Text* 76 (2003): 85-108.

Ballagas, Emilio. *Obra poética*. Sel. e intro. Osvaldo Navarro. La Habana: Editorial Letras Cubanas, 1984.

Barba Jacob, Porfirio [Miguel Angel Osorio]. *Obras completas*. Medellín: Editorial Montoya, 1962.

—. *La vida profunda: Edición especial de la poesía de Porfirio Barba-Jacob*. Comps. Alfonso Duque Maya y Eutimio Prada Fonseca. Bogotá: Editorial Andes, 1973.

Barradas, Efraín. "Notas sobre notas: *El beso de la mujer araña*." *Revista de Estudios Hispánicos* 6 (1979): 177-82.

Barthes, Roland. *Fragmentos de un discurso amoroso*. México: Siglo XXI, 1982.

—. *Sade / Fourier / Loyola*. Trad. Richard Miller. Nueva York: Hill and Wang, 1976.

Bartlett, Neil. *Who Was That Man? A Present for Mr Oscar Wilde*. Londres: Serpent's Tail, 1988.

Bayly, Jaime. *Aquí no hay poesía*. Madrid: Alfaguara, 2001.

Benedetti, Mario et al. *Cuentos de nunca acabar*. Montevideo: Ediciones Trilce, 1988.

Benstock, Shari. "At the Margin of Discourse: Footnotes in the Fictional Text." *PMLA* 98.2 (1983): 204-25.

Bersani, Leo. *The Freudian Body: Psychoanalysis and Art*. Nueva York: Columbia University Press, 1986.

Bianco, José. *Ficción y reflexión: una antología de sus textos*. México: Fondo de Cultura Económica, 1988.

Blanco, José Joaquín. *Crónica de la poesía mexicana*. México: Editorial Katún, 1983.

Borges, Jorge Luis. *Cartas de juventud (1921-22)*. Comp. e intro. Carlos Meneses. Madrid: Editorial Orígenes, 1987.

—. *Discusión*. Buenos Aires: M. Gleizer, 1932.

—. *El libro de arena*. Buenos Aires: Emecé, 1975.

—. *Inquisiciones*. Buenos Aires: Editorial Proa, 1925.

—. *Obras completas*. Buenos Aires: Emecé, 1976.

—. *El tamaño de mi esperanza*. Buenos Aires: Editorial Proa, 1926.

Brizuela, Leopoldo, comp. *Historia de un deseo: El erotismo homosexual en 28 relatos argentinos contemporáneos*. Buenos Aires: Editorial Planeta, 2000.

Butler, Judith. *Gender Trouble: Feminist and the Subversion of Identity*. Nueva York: Routledge, 1990.

Butters, Ronald R., John M. Clum y Michael Moon, comps. *Displacing Homophobia: Gay Male Perspectives in Literature and Culture*. Durham: Duke University Press, 1989.

Canto, Estela. *Borges a contraluz*. Madrid: Espasa-Calpe, 1990.

Carrera, Mario Alberto, comp. *Homenaje a Rafael Arévalo Martínez en el centenario de su nacimiento*. Guatemala: Universidad de San Carlos de Guatemala, Dirección General de Extensión Universitaria, Editorial Universitaria, 1984.

Christ, Ronald. *The Narrow Act: Borges' Act of Allusion*. Nueva York: New York University Press, 1969.

Cortázar, Julio. *Rayuela*. Buenos Aires: Editorial Sudamericana, 1974.

Coutinho, Eduardo de Faria, comp. *Guimarães Rosa*. Coleção Fortuna Crítica 6. Rio de Janeiro: Civilização Brasileira/Brasília: Instituto Nacional do Livro, 1983.

Dabove, Juan Pablo. *La forma del Destino: Sobre El beso de la mujer araña de Manuel Puig*. Rosario: Beatriz Viterbo Editora, 1994.

Damata, Gasparino, comp. *Histórias do amor maldito*. Rio de Janeiro: Gráfica Record, 1967.

— y Walmir Ayala, comp. *Poemas do amor maldito*. Brasília: Coordenadora Editora, 1969.

Dauster, Frank. *Xavier Villaurrutia*. Twayne World Authors Series 159. Nueva York: Twayne Publishers, 1971.

Debroise, Olivier. *Figuras en el trópico: Plástica mexicana 1920-1970*. México: Océano, 1984.

Deleuze, Gilles, y Felix Guattari. *Anti-Oedipus: Capitalism and Schizophrenia*. Trad. Robert Hurley, Mark Seem, y Helen R. Lane. Minneapolis: University of Minnesota Press, 1983.

Dellamora, Richard. *Masculine Desire: The Sexual Politics of Victorian Aestheticism*. Chapel Hill: University of North Carolina Press, 1990.

Dendle, Brian. Número especial sobre Mauricio Wacquez. *Romance Quarterly* 48.3 (2001).

177

D'Halmar, Augusto. *La pasión y muerte del cura Deusto*. Berlín, Madrid y Buenos Aires: Editorial Internacional, 1924.

Díaz Arciniega, Víctor. *Querella por la cultura 'revolucionaria' (1925)*. México: Fondo de Cultura Económica, 1989.

Downs, Donald Alexander. *The New Politics of Pornography*. Chicago: University of Chicago Press, 1989.

Echavarren, Roberto. "*El beso de la mujer araña* y las metáforas del sujeto." *Revista Iberoamericana* 102-103 (1978): 65-75.

Ellmann, Richard. *Oscar Wilde*. Nueva York: Alfred A. Knopf, 1988.

Fernández, Teodosio, Selena Millares y Eduardo Becerra. *Historia de la literatura hispanoamericana*. Madrid: Editorial Universitas, 1995.

Fernández Fraile, Maximino. *Historia de la literatura chilena*. Santiago: Editorial Salesiana, 1994. 2 tomos.

Fernández L'Hoeste, Héctor. "*La virgen de los sicarios* o las visiones dantescas de Fernando Vallejo". *Hispania* 83.4 (2000): 757-67.

Fernández Moreno, César, comp. *América Latina en su literatura*. 11ª ed. México: Siglo XXI, 1988.

Forster, Merlin H. *Los contemporáneos 1920-1932: Perfil de un experimento vanguardista mexicano*. Colección Studium 46. México: Ediciones de Andrea, 1964.

—. *Fire and Ice: The Poetry of Xavier Villaurrutia*. North Carolina Studies in the Romance Languages and Literatures, Essays 11. Chapel Hill: Department of Romance Languages, University of North Carolina, 1976.

Foster, David William. *Gay and Lesbian Themes in Latin American Writing*. Austin: University of Texas Press, 1991.

—. *Handbook of Latin American Literature*. Nueva York: Garland, 1987.

—, comp. *Latin American Writers on Gay and Lesbian Themes: A Bio-Critical Sourcebook*. Intro. Lillian Manzor-Coats. Westport: Greenwood Press, 1994.

Foucault, Michel. *The Care of the Self: The History of Sexuality* 3. Trad. Robert Hurley. Nueva York: Vintage, 1986.

Franz, Carlos. "Los papeles de José Donoso: Lidiar con la envidia". *Clarín: supelemento de cultura*. 10 de agosto de 2003. Versión online.

Garber: Marjorie. *Vice Versa: Bisexuality and the Eroticism of Everyday Life*. New York: Simon and Schuster, 1995.

García, Germán [pseud. Leopoldo Fernández]. "Los nombres de la negación." *El fiord* de Osvaldo Lamborghini. Buenos Aires: Ediciones Chinatown, 1969. 29-48.

García-Prada, Carlos. "Una sombra errante y su canción." *15 poemas de Porfirio Barba Jacob*. México: Colección Literaria de la Revista Iberoamericana, 1942.

Garro, Elena. *Testimonios sobre Mariana*. México: Grijalbo, 1981.

Gilman, Sander. *Jewish Self-Hatred: Anti-Semitism and the Hidden Language of the Jews*. Baltimore: Johns Hopkins University Press, 1986.

Gómez, Eduardo. "Barba Jacob: el poeta de la conciencia desgraciada." *Boletín Cultural y Bibliográfico* 19.2 (1982): 172-75.

Gómez Gil, Orlando. *Historia crítica de la literatura hispanoamericana: Desde los orígenes hasta el momento actual*. Nueva York: Holt, Rinehart and Winston, 1968.

González, Eduardo. *The Monstered Self: Narratives of Death and Performance in Latin American Fiction*. Durham: Duke University Press, 1992.

González Echevarría, Roberto y Enrique Pupo-Walker, comps. *Cambridge History of Latin American Literature*. Cambridge: Cambridge University Press, 1996. 3 tomos.

González Stephan, Beatriz. *La historiografía literaria del liberalismo hispano-americano del siglo XIX*. La Habana: Casa de las Américas, 1987.

Grizwold, Eliza. "The 14-Year –Old Hit Man." *The New York Times Magazine*. 28 de abril de 2002. 61-65.

Hausman, Bernice. *Changing Sex: Transsexualism, Technology and the Idea of Gender*. Durham: Duke University Press, 1995.

Jaramillo, María Mercedes. "Fernando Vallejo: desacralización y memoria." *Literatura y cultura: narrativa colombiana del siglo XX*. Comp. María Mercedes Jaramillo, Betty Osorio y Angela I. Robledo. Bogotá: Ministerio de Cultura, 2000. 2: 407-39.

Johnson, Barbara. *Contingencies of Value: Alternative Perspectives for Critical Theory*. Cambridge: Harvard University Press, 1988.

Kerr, Lucille. *Suspended Fictions: Reading Novels by Manuel Puig*. Urbana: University of Illinois Press, 1987.

Klein, Dennis A. "The Supernatural Elements in Selected Short Stories of Rafael Arévalo Martínez." *Monographic Review* 4 (1988): 60-68.

Koestenbaum, Wayne. "Wilde's Hard Labor and the Birth of Gay Reading." *Engendering Men: The Question of Male Feminist Criticism*. Comps. Joseph A. Boone & Michael Cadden. Londres: Routledge, 1990. 176-89.

Lamborghini, Osvaldo. *El fiord*. Buenos Aires: Ediciones Chinatown, 1969.

—. *Novelas y cuentos*. Comp. César Aira. Barcelona: Ediciones del Serbal, 1988.

—. *Poemas*. Buenos Aires: Ediciones Tierra Baldía, 1980.

—. *Sebregondi retrocede*. Buenos Aires: Ediciones Noé, 1973.

Lejeune, Philippe. *Le pacte autobiographique*. Paris: Seuil, 1975.

Lemus, William. *Psicoanálisis del hombre que parecía un caballo*. Guatemala: Editorial Cultura, 1990.

Leyland, Winston, comp. *My Deep Dark Pain Is Love: A Collection of Latin American Fiction*. San Francisco: Gay Sunshine Press, 1983.

—. *Now the Volcano: An Anthology of Latin American Gay Literature*. San Francisco: Gay Sunshine Press, 1979.

Lezama Lima, José. *Paradiso.* Comp. Cintio Vitier. París: Colección Archivos, 1988.

Lockhart, Darrell J. "D'Halmar, Augusto." *Encyclopedia of Latin American Literature.* Comp. Verity Smith. Londres: Fitzroy Dearborn, 1997. 258-60.

Lonteen, Joseph Anthony. *Interpretación de una amistad intelectual y su producto literario: El hombre que parecía un caballo.* Guatemala: Editorial Landívar, 1969.

Ludmer, Josefina. *El género gauchesco: Un tratado sobre la patria.* Buenos Aires: Editorial Sudamerican, 1988.

Marco, Joaquín. *Literatura hispanoamericana: del modernismo a nuestros días.* Madrid: Espasa Calpe, 1987.

Marini-Palmieri, Enrique, comp. *Cuentos modernistas hispanoamericanos.* Madrid: Castalia, 1989.

Marques, Oswaldino. "Canto e plumagem das palavras." *A seta e o alvo.* Rio de Janeiro: Instituto Nacional do Livro, 1957.

Martin, Robert K. *The Homosexual Tradition in American Poetry.* Austin: University of Texas Press, 1979.

McCloskey, Deirdre. *Crossing.* Chicago: University of Chicago Press, 1999.

McGuirk, Bernard. "Z/Z: On *midrash* and *écriture feminine* in Jorge Luis Borges' 'Emma Zunz'". *Latin American Literature: Symptoms, Risks & Strategies of Post-structuralist Criticism.* Londres: Routledge, 1997. 185-206.

McHarry, Mark. "Killers in Love". *The Guide,* noviembre de 2001. Artículo online.

Mehlman, Jeffrey. *Revolution and Repetition: Marx / Hugo / Balzac.* Berkeley: University of California Press, 1977.

Miller, D. A. *The Novel and the Police.* Berkeley: University of California Press, 1988.

Mohr, Richard D. *Gay Ideas: Outing and Other Controversies.* Boston: Beacon Press, 1992.

Moon, Michael. *Disseminating Whitman: Revision and Corporeality in* Leaves of Grass. Cambridge: Harvard University Press, 1991.

Monsiváis, Carlos. "El mundo soslayado (Donde se mezclan la confesión y la proclama)." Introducción a *La estatua de sal* de Salvador Novo. México: Consejo Nacional de Cultura, de próxima aparición.

—. "Salvador Novo: Los que tenemos unas manos que no nos pertenecen." *Amor perdido.* México: Biblioteca Era, 1977. 265-96.

Moretta, Eugene L. *La poesía de Xavier Villaurrutia.* México: Fondo de Cultura Económica, 1976.

Morris, Jan. *Conundrum.* Nueva York: Harcourt Brace Jovanovich, 1974.

Muñoz, Elías Miguel. *El discurso utópico de la sexualidad en Manuel Puig.* Madrid: Editorial Pliegos, 1987.

Muñoz, Mario, comp. e intro. *De amores marginales: 16 cuentos mexicanos.* Xalapa: 1996.

Novo, Salvador. *XVIII sonetos*. México: Punto por Punto Editores, 1986.

—. *La estatua de sal*. Intro. Carlos Monsiváis. Colección Memorias Mexicanas. México: Consejo Nacional de Cultura, de próxima aparición.

—. *Las locas, el sexo, los burdeles*. México: Editorial Novaro, 1972.

—. "Memorias." *Política sexual: Cuadernos del Frente Homosexual de Acción Revolucionaria* 1 (n.d. [1979?]): 4-10.

—. *Poesía*. México: Fondo de Cultura Económica, 1961.

—. *Toda la prosa*. México: Empresas Editoriales, 1964.

Olea, Raquel. "Una intervención a la literatura chilena". *Rocinante* 6.50 (2002): 18.

Olea Franco, Rafael, y Anthony Stanton, comps. *Los Contemporáneos en el laberinto de la crítica*. México: El Colegio de México, 1994.

Orbe, Juan. *Borges abajo: entreguerra, escritura y cuerpo boca-ano*. Buenos Aires: Corregidor, 1993.

Ortega, Julio. "Los papeles de José Donoso: Secretos sin confesar". *Clarín: supelemento de cultura*. 10 de agosto de 2003. Versión online.

Ospina, William. "No quieren morir, pero matan." *Número* 26 (2000): 26-31.

Páez, Roxana. *Manuel Puig: Del pop a la extrañeza*. Buenos Aires: Editorial Almagesto, 1995.

Parra, Esdras. *Este suelo secreto: Poemas 1992-1993*. Caracas: Monte Avila, 1995.

—. *Juego limpio: relatos*. Caracas: Monte Avila, 1968.

Patton, Cindy. "Safe Sex and the Pornographic Vernacular." *How Do I look? Queer Film and Video*. Bad Object Choices. Seattle: Bay Press, 1991. 31-63.

Paz, Octavio. *Xavier Villaurrutia en persona y en obra*. México: Fondo de Cultura Económica, 1978.

"Phoenix." *Encyclopaedia Britannica*. 11ª ed. Nueva York: Encyclopaedia Britannica Company, 1911. 21: 457-58.

Piñera, Virgilio. *Poesía y crítica*. Intro. Antón Arrufat. México: Consejo Nacional para la Cultura y las Artes, 1994.

Proust, Marcel. *A la recherche du temps perdu*. Paris: Gallimard, 1989. 4 vols.

Puig, Manuel. *El beso de la mujer araña*. Barcelona: Seix Barral, 1976.

—. *El beso de la mujer araña*. Coord. José Amícola y Jorge Panesi. París: Archivos, 2002.

Quiroga, José. *Tropics of Desire: Interventions from Queer Latino America*. Nueva York: New York University Press, 2000.

Roa Bastos, Augusto. "Algunos núcleos generadores de un texto narrativo." *L'Idéologique dans le texte*. Actes du IIème Colloque du Séminaire d'Etudes Littéraires de l'Université de Toulouse-Le Mirail. Toulouse: Université de Tolouse-Le Mirail, 1984. 67-95.

Rojas Guardia, Armando. *Antología poética*. Caracas: Monte Avila, 1993.

—. *El calidoscopio de Hermes*. Caracas: Alfadil Ediciones, 1989.

—. *El dios en la intemperie*. Caracas: Editorial Mandorla, 1985.

Romero, Julia. "De monólogo al estallido de la voz." *Materiales iniciales para* La traición de Rita Hayworth. Comp. José Amícola. La Plata: Centro de Estudios de Teoría y Crítica Literaria, 1996. 451-67.

Rosa, João Guimarães. *Grande Sertão: Veredas*. 15ª edición. Rio de Janeiro: José Olympio, 1982.

Rosser, Harry L. "Reflections in an Equine Eye: Arévalo Martínez' 'Psychozoology.'" *Latin American Literary Review* 14.28 (1986): 21-30.

Salgado, María A. *Rafael Arévalo Martínez*. Boston: Twayne Publishers, 1979.

Schneider, Luis Mario, ed. *El estridentismo: México 1921-1927*. México: Universidad Nacional Autónoma de México, 1985.

—. "Introducción." *Homenaje Nacional a los Contemporáneos: Antología poética*. México: Instituto Nacional de Bellas Artes, 1982. 5-6.

—. *Ruptura y continuidad: La literatura mexicana en polémica*. México: Fondo de Cultura Económica, 1975.

Schwartz, Kessel. *A New History of Spanish American Fiction*. Coral Gables: University of Miami Press, 1971. 2 tomos.

Sedgwick, Eve Kosofsky. *Between Men: English LIterature and Male Homosocial Desire*. Nueva York: Columbia University Press, 1985.

—. *Epistemology of the Closet*. Berkeley: University of California Press, 1990.

Sheridan, Guillermo. *Los contemporáneos ayer*. México: Fondo de Cultura Económica, 1985.

—. "Introducción: Los poetas en sus relatos." *Homenaje Nacional a los Contemporáneos: Monólogos en espiral: antología de narrativa*. México: Instituto Nacional de Bellas Artes, 1982. 5-11.

Silverman, Kaja. *Male Subjectivity at the Margins*. Nueva York: Routledge, 1992.

Simón, Nelson. *A la sombra de los muchachos en flor*. La Habana: Ediciones Unión, 2001.

Smith, Verity, comp. *Encyclopedia of Latin American Literature*. Londres: Fitzroy Dearborn, 1997.

Sommer, Doris. *Foundational Fictions: The National Romances of Latin America*. Berkeley: University of California Press, 1991.

Soto, Marcelo. "Los cuadernos íntimos de José Donoso." Serie de cuatro artículos. *La Tercera: Suplemento cultural*. Abril-mayo de 2003.

Stallybrass, Peter, y Allon White. *The Politics and Poetics of Transgression*. Ithaca: Cornell University Press, 1986.

Stortini, Carlos R. *El diccionario de Borges*. Buenos Aires: Editorial Sudamericana, 1986.

Suslow, Tamra. "Outsiders at the Center: The Contemporáneos and the Construction of Culture in Post-Revolutionary Mexico." Artículo inédito.

Sutherland, Juan Pablo. *A corazón abierto: Geografía literaria de la homosexualidad en Chile*. Santiago: Editorial Sudamericana, 2001.

Tamayo Vargas, Augusto. *Literatura en Hispano América*. Lima: Ediciones Peisa, 1973. 2 tomos.

Torres-Rioseco, Arturo. "El extraño caso de Rafael Arévalo Martínez." *Revista Cubana* 9.25 (1937): 69-80.

Tucker, Robert C., comp. *The Marx-Engels Reader*. 2ª ed. Nueva York: Norton, 1978.

Vallejo, Fernando. *El desbarrancadero*. Madrid: Alfaguara, 2001.

—. *El mensajero*. Bogotá: Planeta Colombiana, 1991.

—. *El río del tiempo*. Bogotá: Alfaguara, 1999.

—. *La virgen de los sicarios*. Madrid: Alfaguara, 1998.

—. *Logoi: Una gramática del lenguaje literario*. Mexico City: Fondo de Cultura Económica, 1983.

—. *La Rambla paralela*. Bogotá: Alfaguara, 2002.

Villaurrutia, Xavier. *Nocturno de los ángeles*. Edición fácsimil del manuscrito y de la edición de 1936. México: Ediciones del Equilibrista, 1987.

—. *Obras*. Intro. Alí Chumacero. Comp. Miguel Capistrán, Alí Chumacero y Luis Mario Schneider. 2ª ed. México: Fondo de Cultura Económica, 1966.

Villena, Luis Antonio de. "Salvador Novo: Ultima poesía erótica." *Los Contemporáneos en el laberinto de la crítica*. Comps. Rafael Olea Franco y Anthony Stanton. México: El Colegio de México, 1994. 207-12.

Voltaire. *Romans et contes*. París: Garnier-Flammarion, 1966.

Wacquez, Mauricio. *Frente a un hombre armado (Cacerías de 1848)*. Barcelona: Bruguera, 1981.

Watney, Simon. *Policing Desire: Pornography, AIDS and the Media*. 2ª ed. Minneapolis: University of Minnesota Press, 1989.

West, D[onald]. J. *Homosexuality*. Chicago: Aldine Publishing Company, 1967.

Whitman, Walt. *Complete Poetry and Collected Prose*. Comp. Justin Kaplan. Nueva York: The Library of America, 1982.

—. *Hojas de hierba*. Trad. Jorge Luis Borges. Buenos Aires: Juárez, 1969.

Woscoboinik, Julio. *El secreto de Borges: indagación psicoanalítica de su obra*. 2ª ed. Buenos Aires: Grupo Editor Latinoamericano, 1991.

Xirau, Ramón. "Presencia de una ausencia." *Tres poetas de la soledad*. México: Antigua Librería Robredo, 1955. 21-35.

Yeats, William Butler. *The Collected Poems*. Nueva York: Macmillan, 1956.

Yingling, Thomas. *Hart Crane and the Homosexual Text: New Thresholds, New Anatomies*. Chicago: University of Chicacgo Press, 1990.

Nota

Esta segunda versión de *El deseo, enorme cicatriz luminosa* se debe a que, para sorpresa de su autor, la primera, publicada por Ediciones eXcultura de Caracas en 1999, se agotó. Quisiera agradecer a María Julia Daroqui, Eleonora Cróquer y Raquel Rivas por haber publicado el libro en Venezuela y por haberme concedido el permiso para hacer esta segunda edición. Como entonces, agradezco a José Maristany y a Florinda Goldberg los comentarios que hicieron para la primera edición de este libro.

He excluido el capítulo "Pedagogía de lo reprimido", un ensayo muy ligado a las circunstancias en las que apareció el libro en 1999. Esta nueva edición se amplía con la publicación de cuatro ensayos nuevos (capítulos 10 a 13). Nicolás Lucero me ayudó a revisar, corregir y actualizar el contenido total del libro. Les agradezco a él y a Adriana Astutti y Sandra Contreras su trabajo de edición.

Una versión inicial de "El pudor de la historia" fue presentada en Trujillo y en Mérida, Venezuela, en 1997; el ensayo fue publicado en las actas del congreso de Trujillo en 1998. "Amistad masculina y homofobia" fue leído en Nicaragua en 1993; en 1997 apareció en el tomo de Colección Archivos dedicado a Rafael Arévalo Martínez. Presenté "Vanguardia y homofobia" en 1994; Sylvia

Molloy y Robert Irwin lo incluyeron, en inglés, en *Hispanisms and Homosexualities* (1998). El ensayo "La dialéctica fecal" fue presentado por primera vez en Londres en 1991 y luego en Buenos Aires en 1993, traducido al español por Eduardo Santa Cruz; la versión que incluyo en este volumen es la corregida por Julio Schvartzman para *Borges, realidades y simulacros* (Biblos, 2000). El artículo sobre José Bianco y el ensayo sobre *Grande sertão: veredas* aparecieron en la primera edición de este libro; el segundo fue leído en Santiago de Chile en 1999. "Sexualidad y revolución" fue presentado en Quito y luego en La Plata en 1997; lo escribí para la edición crítica que José Amícola y Jorge Panesi hicieron de *El beso de la mujer araña* (2002) para Colección Archivos. Un primer esbozo de "Las revoluciones sexuales de 1848" se presentó en Yale en 1989; una versión reducida fue incluida en *Latin American Writing on Gay and Lesbian Themes*, de David William Foster, en 1994. El ensayo sobre Osvaldo Lamborghini fue leído en Toronto en 1993. El trabajo sobre Nelson Simón y Jaime Bayly se presentó en Saint Louis, Missouri, en 2002 y fue publicado en la *Revista de Crítica Literaria Latinoamericana* en 2003. "Esdras Parra o la poesía del transgénero" se presentó en Nueva York en 2002 y es inédito. Leí "Ética y sexualidad en Fernando Vallejo" en Harvard y otras universidades en el año 2002; Álvaro Bernal tradujo al español una primera versión de ese artículo. "Corazones abiertos" fue presentado en un congreso en Santiago de Chile en 2003 y es inédito.

Aprovecho esta segunda edición de *El deseo, enorme cicatriz luminosa* para reconocer una vez más la importancia que han tenido para mí las conversaciones con Sylvia Molloy y José Quiroga, quienes han sido, durante tantos años, mis interlocutores más cercanos para reflexionar sobre la temática de este libro.

Indice

Biblioteca Ensayos Críticos

Las letras de Borges y otros ensayos
por Sylvia Molloy

Literaturas indigentes y placeres bajos. Felisberto Hernández,
J.Rodolfo Wilcock, Virgilio Piñera
por Reinaldo Laddaga

El abrigo de aire. Ensayos sobre literatura cubana,
por Mónica Bernabé, Antonio José Ponte
y Marcela Zanin

Manuel Puig: la conversación infinita,
por Alberto Giordano

Paganini
por Ezequiel Martínez Estrada

El mundo maravilloso de
Guillermo Enrique Hudson
por Ezequiel Martínez Estrada

Sarmiento - Meditaciones Sarmientinas -
Los invariantes históricos en el Facundo
por Ezequiel Martínez Estrada

Variaciones vanguardistas.
La poética de Leónidas Lamborghini
por Ana Porrúa

Andares clancos.
Fábulas del menor en
Osvaldo Lamborghini, J.C. Onetti, Rubén Darío,
J. L. Borges, Silvina Ocampo y Manuel Puig
por Adriana Astutti

La dicha de Saturno.
Escritura y melancolía en la obra de Juan José Saer
por Julio Premat

Desencuadernados.
Vanguardias ex-céntricas en el Río de la Plata. Macedonio
Fernández y Felisberto Hernández
por Julio Prieto

Las vueltas de César Aira
por Sandra Contreras

Fulguración del espacio.
Letras e imaginario institucional de la
revolución cubana (1960-1971)
por Juan Carlos Quintero Herencia

La dorada garra de la lectura.
Lectoras y lectores de novela en América Latina
por Susana Zanetti

Gabriela Mistral
Una mujer sin rostro
por Lila Zemborain

Geografías imaginarias
El relato de viajes y la construcción del espacio patagónico
por Ernesto Livon-Grosman

Las vanguardias en la encrucijada modernista:
la poesía concreta brasileña,
por Gonzalo Aguilar

Dislocaciones culturales:
nación, sujeto y comunidad en América Latina,
por Silvia Rosman

Biblioteca Tesis / Ensayo
2001-2003

La imprenta enterrada. Baroja, Arlt, y el imaginario anarquista,
por Glenn Close

Delmira Agustini y el modernismo., por Tina Escaja, compiladora

La cultura de los géneros, por Lisa Bradford, compiladora

Desembarcos en el papel. La imagen en Julio Cortázar
por María de Lourdes Dávila

Miguel Briante: genealogía de un olvido
por Elisa Calabrese y Luciano Martínez

Figuras de la experiencia en el fin de siglo
Cristina Peri Rossi, Ricardo Piglia, Juan José Saer,
Silviano Santiago, por Isabel Quintana

Leer poesía, leer la muerte. Un ensayo sobre el género poético
por Elena Bossi

Cuerpos errantes
Literatura latina y latinoamericana en Estados Unidos
por Laura Loustau

La batalla de los géneros
Novela gótica vs. novela de educación
por José Amícola

Novelas familiares
Figuraciones de la nación
en la novela latinoamericana contemporánea
por Margarita Saona

Se terminó de imprimir en el mes de mayo de 2004
en los Talleres Gráficos Nuevo Offset
Viel 1444, Capital Federal
Tirada: 1.000 ejemplares